P9-BBU-366

WITHDRAWN

¿Por qué
NUESTRA RELACIÓN
NO FUNCIONA
si nos queremos
tanto?

MAY 3 1 2019

RICARDO CARIAGA

¿Por qué
**NUESTRA RELACIÓN
NO FUNCIONA**
si nos queremos
tanto?

S
392.6
C277

Obra editada en colaboración con Editorial Planeta – Chile

Ilustración de portada: © Shutterstock

© 2016, Ricardo Cariaga

© 2016, Editorial Planeta Chilena S.A.- Providencia, Santiago de Chile

Derechos reservados

© 2018, Editorial Planeta Mexicana, S.A. de C.V.
Bajo el sello editorial DIANA M.R.
Avenida Presidente Masarik núm. 111, Piso 2
Colonia Polanco V Sección
Delegación Miguel Hidalgo
C.P. 11560, Ciudad de México
www.planetadelibros.com.mx

Edición impresa en Chile: diciembre de 2017
ISBN: 978-956-360-137-4

Primera edición impresa en México: agosto de 2018
ISBN: 978-607-07-4961-2

No se permite la reproducción total o parcial de este libro ni su incorporación a un sistema informático, ni su transmisión en cualquier forma o por cualquier medio, sea éste electrónico, mecánico, por fotocopia, por grabación u otros métodos, sin el permiso previo y por escrito de los titulares del *copyright.*

La infracción de los derechos mencionados puede ser constitutiva de delito contra la propiedad intelectual (Arts. 229 y siguientes de la Ley Federal de Derechos de Autor y Arts. 424 y siguientes del Código Penal).

Si necesita fotocopiar o escanear algún fragmento de esta obra diríjase al CeMPro (Centro Mexicano de Protección y Fomento de los Derechos de Autor, http://www.cempro.org.mx).

Impreso en los talleres de Litográfica Ingramex, S.A. de C.V.
Centeno núm. 162-1, colonia Granjas Esmeralda, Ciudad de México
Impreso en México – *Printed in Mexico*

ÍNDICE

Agradecimientos 7

Introducción 11

¿Estoy realmente enamorado? 17

¿De dónde aprendimos del amor hombres y mujeres? 27

¿Matrimonio a plazo fijo? 35

Existen mujeres para casarse con ellas y... 45

Los consejos del cura 53

Misterios del otro género 61

   ¿Cómo saber qué decirles a las mujeres? 63

El amor no es suficiente 67

La gente no cambia 79

Las quejas y las instrucciones 85

Te quiero, pero me aburro 93

El parque de diversiones 101

Ufff... la infidelidad 107

   Una especie de definición 107

   La otra infidelidad 109

   Nadie se preocupa del infiel 111

   El perdón 112

   A propósito de oportunidad 114

   Para terminar 116

¿Por qué se fue con su secretaria a Miami? 121

¿Puedo llegar a sentir por mi pareja lo que siento

   por mi amante? 127

Mi día de suerte en una playa nudista 135

El que no tiene es porque no sabe pedir........................... 157

¡El momento de que seamos felices es ahora! 165

La bañera de hidromasaje.. 171

Pensar como Einstein 181

El patriarcado contra la empresa 189

AGRADECIMIENTOS

A mis padres, Manuel y Mary, que lograron cumplir la promesa de trabajar por ser felices en su relación "hasta que la muerte los separó".

A mis hijas, Camila y Fernanda, por el cariño, la comprensión, la compañía y por su extraordinaria generosidad para adaptarse a cada situación ideada por su siempre impredecible padre.

Pero, por sobre todo, a Mónica, que es a la persona que más amo y admiro, por su inteligencia, su generosidad, su integridad, su tenacidad, por el amor incondicional que me ha entregado durante todos estos años y por haberme hecho el regalo de elegirme para compartir su vida.

*El matrimonio es un combate a ultranza,
antes del cual los esposos piden la bendición
de Dios, porque amarse para siempre es la
más temeraria de las empresas.*

HONORÉ DE BALZAC
Novelista y dramaturgo francés

Introducción

Al poco tiempo de estar casado comencé a sentir que algo en mi relación de pareja no estaba funcionando. Tenía una mujer inteligente, atractiva y que, además, me quería mucho, un buen trabajo, unas hijas maravillosas y buena salud. En resumen, una vida normal. Parecía que todo estaba bien. Pero ¿estaba todo bien realmente? Yo sentía que no. Faltaba algo. Sentía que la relación ya no vibraba como antes y esta inconformidad nos hacía discutir bastante. Era como si nos hubiésemos desconectado como pareja, aunque no como padres ni como compañeros de ruta.

Ella y yo nos conocemos desde los nueve años y fuimos novios desde los quince hasta que nos casamos, siete años después. Entonces, yo me preguntaba permanentemente: "¿Por qué no funciona si nos conocemos y nos queremos tanto?". "Quizás la vida en pareja no sea más que esto", me decía a mí mismo. Pero, en el fondo, sentía que estábamos siendo mediocres al conformarnos con una relación que se había transformado en un ente insípido, en la que claramente ya no había entusiasmo ni complicidad.

Después de mucho pensarlo, se lo planteé a Mónica, mi mujer, y fuimos a ver a un psicólogo. La verdad es que fuimos a ver a tres. Pero ninguno de ellos nos supo dar una solución. Sus respuestas fueron más o menos así: "Es que mi labor no es darles una solución, sino..." o "Bueno es claro que con el tiempo las relaciones de pareja van desgastándose y la pasión inicial...", y otras razones por el estilo. O sea, el mensaje era que con el tiempo la relación se volvía así, no tenía solución. Pero yo sentía que tenía que haber una solución porque, además, las consecuencias eran devastadoras para este proyecto mutuo que habíamos soñado tantas veces desde que éramos adolescentes.

Entonces me obsesioné y comencé a investigar qué pasaba con las otras parejas. Cada vez que iba una pareja de amigos a nuestra casa, esperaba que Mónica se parara a buscar algo a la cocina para aprovechar y poner el tema sobre la mesa: "Oigan, chicos, me gustaría preguntarles algo: después de estos años de matrimonio, ¿se sienten amigos como al inicio?, ¿son cómplices?, ¿sienten que actualmente su relación es rica, entretenida, íntima, afectiva?, ¿sienten que se la pasan bien?, ¿se dan besos ricos?, ¿se llaman durante el día?, ¿sienten que el otro los desea?...".

En ese tiempo perdimos muchos amigos.

Por otro lado, rogué en solitario para que se me develara alguna ruta a seguir que me permitiera encontrar la solución a esto que me atormentaba. Devoré cuanto libro de relaciones de pareja se había publicado, estudié sobre las distintas formas de ser pareja que existen en el mundo según las diversas creencias y culturas y conversé con todo el que se cruzara en mi camino, especialista o no, por si por ahí surgía una luz de esperanza. Viajé mucho, me pasaron cosas, algunas buenas y otras muy difíciles, incluso, de contar. Hasta que un día, el cosmos, Dios o mis antepasados, da lo mismo quién haya sido, se apiadó de mí y en mi mente comenzaron a reordenarse "los datos": las situaciones vividas, los estudios, las conversaciones, los diferentes puntos de vista sobre la naturaleza de las personas y, de repente, con una claridad absoluta, ¡ahí estaba la solución!

Pero ¿era realmente la solución o un espejismo solamente?

Entonces, con mucho entusiasmo, le pedí a Mónica que desde su experiencia como psicóloga me ayudara a estructurar esta visión, con el propósito de aplicarla a nuestra relación. Lo hicimos y dio resultado. Fue entonces que comenzamos a contárselo a las parejas de nuestro entorno familiar y, luego, a nuestras parejas de amigos. Así es como, desde el año 1998, tenemos un centro de ayuda para parejas en conflicto, en el que todos los meses ingresan muchas parejas con el propósito de terminar con el antiguo matrimonio y comenzar uno nuevo, pero con la misma persona.

Este libro es una recopilación de todas aquellas conversaciones, vivencias y aprendizajes que fui recogiendo y atesorando a lo largo de mi viaje en busca de la solución y que, afortunadamente para mí, un día se ordenaron y conectaron entre sí para salvar nuestra relación de pareja.

*El amor es de todas las pasiones
la más fuerte, ya que ataca al mismo
tiempo la cabeza, el corazón y los sentidos.*

LAO TSÉ
Filósofo chino

¿ESTOY REALMENTE ENAMORADO?

Es rico estar enamorado, sentirse flotando sobre los demás. Que te emocione la cercanía de la persona amada, que te angustie su ausencia; sentir ese miedo permanente a que no sea para siempre. Que los sentimientos y las emociones no solo los sientas en tu mente como polillas cerca de la luz, sino también en tu cuerpo, como el agua fría en el momento del chapuzón.

Es casi como una obsesión, necesitar que sea tuya como uno más de tus sentidos o ser todo de ella, pertenecer completamente, como una gota de mar al mar. Depender totalmente y encontrarle sentido a las cosas solo si es con ella: lo cotidiano, los proyectos, los sueños… Pero este estado dura poco, entre dieciocho y treinta y seis meses como máximo, dicen los especialistas.

Entonces, ¿qué viene después de ese estado? Muchas veces me hice esta pregunta y llegué a la conclusión de que el amor es un conjunto de sentimientos, deseos y pensamientos que se mezclan y que, al ser experimentados al mismo tiempo, te producen un determinado efecto emocional.

Al investigar me encontré con Robert Sternberg, un famoso psicólogo estadounidense que llegó a ser presidente de la American Psychological Association, y que desarrollo la teoría del "triángulo del amor", hoy muy conocida y aceptada en los círculos académicos. Según su teoría, el verdadero amor de pareja está conformado por tres componentes y la falta de alguno de ellos define las otras "clases" de amor.

Fui revisando entonces cada componente para ver si se daba en nuestra relación.

El primero de ellos es la INTIMIDAD, que Sternberg define como afecto y cariño.

"Bien", pensé, "ese componente lo tenemos, porque ¿cómo no la voy a querer? Nos conocemos desde los nueve años. Todo lo que aprendimos de la vida, lo hicimos juntos. Todo lo que descubrimos de la vida, lo experimentamos juntos. El cariño surge del conocimiento". Leí por ahí que uno solo quiere a la gente que conoce y me hizo sentido. Sin embargo, el cariño no es algo tan diferenciador, porque uno siente cariño por mucha gente. Por los padres, los hermanos, los amigos, los compañeros de trabajo, en fin... ¡uno siente cariño hasta por el perro! Entonces había que pasar a un segundo componente.

Según Sternberg, este es el COMPROMISO. La decisión de amar a la otra persona y el compromiso de trabajar por ese amor a largo plazo manteniendo la colaboración, el apoyo, la protección y el respeto mutuo. Aquí cabría la expresión de "en las buenas y en las malas".

"Bien", pensé nuevamente, "este elemento también lo tenemos". Porque yo no quería separarme y sentía que éramos un buen equipo. Nos cuidábamos mutuamente y nos complementábamos bastante bien, pero había algunas áreas en las que el compromiso flaqueaba un poco. Pasemos mejor al tercer componente.

Según este famoso psicólogo, un tercer componente es la PASIÓN, pero no solo entendida como la pasión sexual, sino como el intenso deseo de unión con el otro.

Mónica y yo la definimos como "la pasión por la relación", en la que están incluidos aspectos como la amistad, la complicidad, la sexualidad, el erotismo, los proyectos en pareja, el juego, en fin, los componentes que hacen que la relación vibre, se desarrolle y se mantenga en el tiempo sin decaer en su intensidad.

Bueno, claramente ahí estábamos flaqueando en nuestra relación; la pasión era, sin duda, nuestro componente más débil. Y esto, desde mi punto de vista, era muy grave porque, haciendo una analogía, si el afecto era el motor de nuestra relación y el compromiso la carrocería, la pasión era el combustible. Pero por culpa del día a día, de los compromisos, las responsabilidades y las obligaciones, ya no había combustible en el tanque de nuestra relación.

Muchas personas llegan hoy a nuestra consulta con esa inquietud, diciéndonos que quieren mucho al otro, pero que no creen estar enamorados. En definitiva, lo que les ocurre es que tienen el afecto y el compromiso y, además tienen el sexo, pero les falta la pasión por la relación. Esto rápidamente se transforma en una carencia que instintivamente se intenta suplir de algún modo, porque se necesita motivación para levantarse en la mañana. Entonces se busca la pasión por fuera. A veces es otra persona, pero otras es un ascenso, una venta, un proyecto personal, un *hobby* o los hijos, y gracias a esto, la relación se mantiene. Porque el afecto y el compromiso representan la estabilidad y la estabilidad es muy importante para las personas.

Ahora bien, ¿sabría usted qué recomendarle a una pareja para que logre incorporar de nuevo la pasión en su relación y mantenerla por veinticinco años? Lo más probable es que no lo sepa, así como tampoco lo sabía yo. Y si no sabe cómo conseguir el combustible de la relación y mantenerlo permanentemente, entonces, como decía un amigo mío: "Estamos en problemas", no es posible que le vaya bien.

¡El problema es que nadie te enseña cómo hacerlo!, uno cree que el amor es suficiente para que la pasión fluya espontáneamente. Pero, ¡grave error! El asunto es más complejo. Por ejemplo, seguramente estará de acuerdo conmigo en que uno de los componentes de la pasión es la complicidad, entonces le pregunto: ¿qué genera complicidad? Lo voy a ayudar con la respuesta: salir con la pareja a cenar, a tomarse un café, a clases de salsa o de tango, a darse un masaje a un *spa*; ir de vacaciones en un crucero por el Caribe o por el Sudeste Asiático; hacer el amor… no, nada de eso genera complicidad. Genera compañerismo y buena onda, entre otras cosas, pero no complicidad. Entonces, ¿qué la genera? Lo prohibido. "¿Y cómo se consigue eso?", se preguntará usted. En capítulos posteriores podrá inferir la respuesta a esa interrogante.

Pero antes de continuar y con el propósito de ayudarles a comprender mejor en qué consiste el amor, voy a profundizar un poco más en las diferentes etapas o tipos de amor según Sternberg. Le recuerdo que dijimos que el amor de pareja está compuesto por tres elementos: intimidad (afecto, cariño y cercanía), compromiso y pasión. La falta de amor se produce por la ausencia de estos tres componentes y la combinación de estos genera a su vez distintos tipos de amor.

Combinaciones de intimidad, pasión y compromiso			
Tipo de amor	Intimidad	Pasión	Compromiso
Cariño	X		
Encaprichamiento		X	
Amor vacío			X
Amor romántico	X	X	
Amor compañero	X		X
Amor fatuo		X	X
Amor consumado	X	X	X

❯ Cuando no existe pasión ni compromiso, pero sí intimidad:

Entonces solo es *afecto o cariño*. Pero un cariño basado en el conocimiento, en el que se siente un vínculo y una cercanía especial con esa persona.

❯ Cuando no existe intimidad ni compromiso, pero mucha pasión:

Entonces es solo *encaprichamiento,* lo que coloquialmente se denomina como "una calentura".

❯ Cuando no existe intimidad ni pasión, pero sí compromiso:

Entonces es *amor vacío.* No sienten nada el uno por el otro, pero sí el compromiso de seguir adelante con la relación. En los matrimonios acordados, las relaciones suelen comenzar de esta manera.

❯ Cuando no existe compromiso, pero sí pasión e intimidad:

Entonces es *amor romántico.* El típico amor de verano o de las relaciones de corta duración.

**❥ Cuando no existe pasión, pero sí intimidad
y compromiso:**
Entonces es *amor sociable o de compañía.* Este es el
amor que tienen o creen tener muchas parejas. Y digo
que creen tener porque esperan que la pasión fluya sola
y eso no es así. Fluye sola al inicio pero después hay
que trabajarla.

**❥ Cuando no existe intimidad, pero sí pasión
y compromiso:**
Entonces es **amor fatuo o loco.** Aquel en que el compromiso con la relación es motivado por la pasión, sin
haber cariño verdadero.

❥ Cuando existe intimidad, pasión y compromiso:
Entonces es **amor consumado.** Este representa, sin
duda, la relación ideal. Este tipo de amor se da la mayoría de las veces al comienzo de la relación, pero se
va desdibujando con el tiempo. Sternberg señala que
mantener un amor consumado puede ser incluso más
difícil que llegar a él. La fórmula para lograrlo sería,
según él, trabajar para traducir los componentes del
amor en acciones concretas. "Sin trabajo —advierte—
hasta el amor más grande puede morir".

Aprendemos a amar no cuando encontramos a la persona perfecta, sino cuando llegamos a ver de manera perfecta a una persona imperfecta.

SAM KEEN
Escritor estadounidense

¿DE DÓNDE APRENDIMOS DEL AMOR HOMBRES Y MUJERES?

Muchas veces me hice las siguientes preguntas: "¿Quién me enseñó qué es el amor o qué son las relaciones de pareja? ¿De dónde obtienen la información, las mujeres y los hombres sobre qué es vivir en pareja, al menos en nuestra cultura occidental?". De todas partes: de la televisión, de los amigos, de la familia, de los libros; en fin, de muchas fuentes.

El planteamiento que más me hace sentido, es aquel que dice que las mujeres aprendieron del amor de los cuentos de hadas. Desde chicas, las niñas se visten de princesas y en todos los cuentos que leen siempre hay un príncipe metido en el baile. Y no solo en los cuentos, sino también en sus juegos. Me acuerdo que cuando tenía que comprarles a mis hijas las famosas Barbies, también tenía que comprarles el Ken, que es, para quien no lo sabe, la versión masculina de las Barbies. Otro príncipe.

¿Y cómo es este príncipe? Además de ser buen mozo, atento, preocupado y valiente, tiene tres características muy especiales, que, a mi juicio, generan un modelo de hombre que terminará siendo nefasto para las relaciones de pareja que estas niñas formarán en su adultez.

Primero, es millonario. Como no tiene problemas económicos se van a sentir siempre protegidas con él y lo van a admirar, lo que es un gran componente del amor de una mujer hacia un hombre. Segundo, es puro romanticismo, nada erótico. Y, tercero, siempre elige a la que tiene más problemas de autoestima. El príncipe nunca pone sus ojos en otra princesa, sino en la que friega el piso, la que tiene menos ropa, la que es más pobre y en la que se siente más fea; en definitiva, en la que siente que no lo merece. ¡Y las mujeres se identifican con ella!

Pueden ver ustedes el éxito de *Cincuenta sombras de Grey*, en el que se repite la fórmula: el protagonista es millonario, atento, buen mozo y, de nuevo, puso sus ojos en la que creía que no lo merecía. Otro cuento del príncipe azul, aunque un poco más erótico. Al menos vamos avanzando.

El mensaje en este tipo de historias es: "Había muchas mujeres mejores que yo, pero él me eligió a mí, con todas mis virtudes y principalmente con todos mis defectos, porque eso es el amor verdadero".

¿Qué tiene de malo ese mensaje?

Mucho, porque frente a los cambios, la reacción de hombres y mujeres es muy diferente. Al respecto, la conversación con un hombre sería así:

—Déjame decirte que hay muchas cosas que a tu mujer no le gustan de ti —le expresaría al citarlo por separado.

—¿Ah, sí, como cuáles? —me contestaría generalmente con una expresión de que no le estoy diciendo nada nuevo.

Y yo comenzaría a enumerarlas.

—Bueno —me diría—, yo podría mejorar algunas de esas, si tú me ayudas… quizás no 100%, pero algo se puede hacer.

Con una mujer, en cambio, la conversación sería muy distinta:

—Quiero comentarte que hay muchas cosas que a tu hombre no le gustan de ti… —le diría, sabiendo lo que viene.

—¿Ah, sí, como cuáles? —me contestaría.

Y yo comenzaría a enumerarlas. Cuando fuera en la tercera, la mayoría de las mujeres me interrumpiría diciendo:

—Bueno, que se busque otra, entonces.

En general, las mujeres sienten que el amor verdadero es aquel que las acepta tal cual son. Lo que estaría bien, siempre y cuando ellas también aceptaran a su hombre tal cual es.

Creo que a las mujeres, mucho más que a los hombres, les cuesta estar dispuestas a cambiar. Y eso termina siendo muy negativo para la relación.

Pero volvamos al tema inicial: ¿De dónde aprendimos los hombres del amor?

Cuando somos niños, las mujeres no existen; de hecho, si en nuestro grupo de juego hay una mujer, ella hace de hombre. No sabemos ni nos preguntamos para qué sirven o cuál es su razón de ser. Salvo, por supuesto, la de ser mamá. Todo sigue su curso hasta que un día, el hermano mayor de un amigo se acerca a ti y te dice: "¿Quieres saber cómo son las mujeres cuando son grandes y qué es lo que hacen cuando crecen?". "Sí, claro que me gustaría", responde uno, sin imaginar, remotamente, lo que se va a descubrir ante nuestros ojos. "Entonces, mira ahí", nos dice, indicándonos una pantalla. Y uno ve por primera vez una película porno. "¡¿Eso hacen las mujeres cuando crecen?!", exclamé yo, cuando me vi enfrentado a esa situación.

Absorto ante la pantalla, uno encuentra increíble eso de que las mujeres se vuelvan locas por ti, que te besen, te chupen, te muerdan, te pidan más... Simplemente te quedas sin palabras, estupefacto, frente a tamaño espectáculo. Y luego empiezas a sentir en tu interior una inquietud, una mezcla entre ansiedad y angustia. Para posteriormente sentir que una pregunta asalta tu mente, fiel reflejo de tu instinto cazador. Miras al hermano de tu amigo fijamente y le preguntas con una expresión de urgencia absoluta: "¿Cómo me consigo a una mujer así?". Entonces él, con más experiencia que tú, se supone, te pregunta: "¿Conoces el cuento del príncipe azul?". "Sí, obvio", responde uno sin entender la razón de esa pregunta. "Bueno —te dice como si te fuera a revelar el secreto de la vida eterna—, tienes que jugar a eso para conseguirla. Ser muy atento, muy preocupado, nada erótico, como si el sexo no fuera importante para ti, insistes varias veces en lo linda que es, le dices que nadie te ha hecho sentir como ella, que no sabes cómo pudiste vivir sin conocerla, que por qué no la conociste antes, etcétera. Entre mejor juegues, más rápido verás los resultados".

Como uno es cazador, te concentras en eso, elijes a tu presa y comienzas a jugar al príncipe conquistando a la princesa y siempre, o casi siempre, la consigues y efectivamente se vuelve loca por ti... por un tiempo. ¿Una lata? Sí, ese es el "juego perverso del amor", porque ni el príncipe ni la mujer de la película porno existen de verdad. Y nos pasamos la vida buscando a personas que de alguna manera calcen con esos estereotipos que son irreales, lo que termina distorsionando gravemente la vida en pareja.

El amor es un acto de fe,
y quien tenga poca fe
también tendrá poco amor.

ERICH FROMM
Psicoanalista y filósofo alemán

¿Matrimonio a plazo fijo?

Hace un tiempo, una pareja de jóvenes se acercó a mí para contarme que iban a hacer cita en el Registro Civil con el propósito de contraer matrimonio.

—¿Y en qué condiciones lo harán? —les pregunté.

—Bueno, por separación de bienes —me contestó él, muy seguro.

—Qué bien —repliqué— pero no me refería a eso, me refería al plazo.

—¿Cómo al plazo? —me preguntó ella intrigada.

—Me refiero a la duración del contrato —les contesté, mientras ellos se miraban muy intrigados—. Mejor voy a explicarles —continué—, porque veo que ustedes no saben de qué estoy hablando. Siempre he pensado que debería existir una ley que permitiera a las parejas casarse en dos modalidades: indefinidamente, es decir, sin fecha de caducidad, o a un plazo fijo de siete años, renovable. La idea de esta modalidad sería que si sesenta días antes de terminado el contrato ninguno pone término al mismo, mediante una carta notarial en el Registro Civil, el matrimonio se renueva automáticamente por otros siete años y así sucesivamente.

—¿Cuál sería el propósito de esa ley? —me preguntaron casi al unísono.

—Bueno, principalmente no hacer tan engorrosos los trámites del divorcio —les expliqué mientras veía en la expresión de sus rostros que no podían creer lo que estaban escuchando—. Como es un contrato civil, se da por terminado y listo, sin más trámites. Pero existirían herramientas legales adicionales que tendrían claramente establecido el tema de los hijos, el patrimonio, etcétera.

Casi no alcancé a terminar de decir la última palabra, cuando ella, sin siquiera mirar a su pareja, sentenció:

—No, nada de a siete años renovable, nosotros nos vamos a casar de modo indefinido.

—O sea, te vas a ir por el camino fácil —le dije con un poco de sarcasmo.

—Es que me parece una lata tener que andar preocupada porque te renueven el contrato cada siete años —me contestó al tiempo que buscaba la aprobación en los ojos de su futuro marido, quien, por supuesto, asintió.

Me pareció grave su respuesta porque implicaba que, a unos pasos de casarse, ella no pensaba que para que un matrimonio funcionara era necesario trabajar permanentemente.

La idea del "para toda la vida", es un compromiso implícito también en gran parte de las personas que deciden convivir, según he podido darme cuenta en los años en que he trabajado con parejas que no se han casado. A mí, en cambio, me parecería interesante probar una fórmula como la de la anécdota que acabo de relatar, porque esto de la seguridad "para siempre" le juega en contra a la relación. Por un lado, las personas se relajan con respecto a ser atractivos para el ser amado y dejan de priorizar la relación, poniendo el foco en otros aspectos de la vida. Por otro lado, aparece el individualismo: el "a mi parecer", "a mi entender", "para mi gusto" o "mi comodidad", generando una dinámica de competencia y una suerte de "estirar la liga", como si ese compromiso "para toda la vida" fuera seguro y resistente a todo.

Es posible que a usted esta idea le parezca una locura y, desde un punto de vista conceptual, le tendría que dar la razón, porque es absurda y contradice la naturaleza misma del matrimonio. Sin embargo, también es necesario considerar la naturaleza de las personas. Si el ser humano no tiene una motivación para seguir trabajando por algo, lo va a dar por hecho. Lo que ya está en el bolsillo, ya está seguro, no hay más qué hacer, solo mantenerlo con lo mínimo.

Esta "idea descabellada" no es solo mía. Los incas, por ejemplo, tenían el servinacuy incaico, que permitía a las parejas probar la compatibilidad matrimonial por un tiempo y luego transformar el compromiso en algo indefinido, si los involucrados funcionaban como pareja. Como pueden ver, la sabiduría ancestral ya se había anticipado en siglos a lo que hoy está esbozando este humilde *coach* de parejas.

Por otra parte, en Alemania han surgido ideas parecidas y también ha sido tema público en España y México. Esto se debe a que cada vez hay más divorcios y a que los procesos suelen ser muy traumáticos. Así, la idea de un sistema de matrimonio a plazo fijo, con la opción de renovación automática si no existe oposición de alguno de los contrayentes, ha ido tomando cada vez más fuerza.

México lleva la delantera en este tema con un grupo de legisladores que ha propuesto una reforma al Código Civil que permitiría a los "enamorados" decidir la duración de su compromiso. Ellos proponen que el plazo mínimo sea de dos años renovables, las veces que deseen los contrayentes, y no siete años, como proponen en Alemania. La propuesta contempla la forma en cómo se repartirían los bienes, el pago de la pensión alimenticia y todo lo referente al cuidado de los hijos para que sufran el menor daño posible en caso de disolución. Aunque el camino legislativo podría ser largo, es bastante probable que la iniciativa se apruebe, porque quien la puso sobre la mesa es el mismo grupo político que en los últimos años ha conseguido que se aprueben las leyes que legalizan el aborto y el matrimonio homosexual.

La propuesta ha despertado la ira de varios sectores de la sociedad mexicana, que en general es bastante conservadora. La idea ha sido considerada absurda por la Iglesia y han calificado a la Asamblea Legislativa de irresponsable e inmoral, por el solo hecho de admitir que se debata una propuesta como esta. Los que la defienden, hacen referencia a aspectos prácticos, como por ejemplo, que en México, según las estadísticas, cerca de la mitad de los matrimonios termina en divorcio antes de los dos años y que procesarlos genera un gasto de cientos de miles de dólares al país, dinero que podría destinarse a necesidades más importantes que poner el timbre y las estampillas al acta de divorcio.

Otros, como Rolando Díaz Loving, catedrático e investigador de la Facultad de Psicología de la Universidad Nacional Autónoma de México, declaran que: "Se ha demostrado que los seres humanos no somos muy buenos al momento de pronosticar el futuro, no podemos ser racionales cuando estamos en una situación pasional". Por lo mismo, considera que la iniciativa es un ejemplo de la evolución del matrimonio.

¿Qué pienso yo? Pienso que nada de eso sería necesario si, así como tenemos conciencia permanente de que debemos trabajar para ganarnos el pan de cada día, tuviéramos conciencia permanente de que la relación de pareja, sea matrimonio o convivencia, NO es segura y NO es resistente a todo. Hay que trabajar para mantener el afecto, el compromiso y la pasión. Si das por hecho algún aspecto de la relación, va a terminar mal. Si esperas que la relación fluya sola, no va a fluir. Si crees que el otro va a estar enamorado de ti por siempre, porque se comprometió a eso sin importar cómo te portes, el amor que entregues, las atenciones que brindes, déjame decirte que eso no va a suceder. El amor de pareja, a pesar de que en los cuentos de hadas y en las novelas rosas pareciera ser diferente, es absolutamente condicionado. Porque así somos los seres humanos, queremos dar, pero también queremos recibir.

La más tonta de las mujeres
puede manejar a un hombre inteligente.
Pero es necesario que una mujer
sea muy hábil para manejar a un tonto.

JOSEPH RUDYARD KIPLING
Escritor y poeta británico

EXISTEN MUJERES
PARA CASARSE CON ELLAS Y...

Desde que uno comienza en esos asuntos de las relaciones de pareja, hay cosas que se dan por sabidas y entendidas, premisas que uno no sabe dónde las aprendió; si se las escucho a un amigo, a la mamá, a un tío o al chofer de la micro. Premisas a las que les encontramos sentido, sin analizarlas mucho, y que luego internalizamos, las hicimos nuestras y quedaron grabadas a fuego dentro de nuestra mente... de hombres.

Una de estas premisas es: "Hay mujeres para casarse y mujeres para "jugar" con ellas". Y ¿cuál es la diferencia entre unas y otras?, se podrán preguntar. Bueno, las primeras son seriecitas, fieles, tranquilas, cariñosas, responsables; te quieren solo a ti, te cuidan y protegen más que a sí mismas; tienen buenos principios y valores que luego podrán traspasar a nuestros hijos y una lista interminable de otras virtudes. Las segundas, en cambio, quizás también tienen valores y principios estándar, pero no tienen nada de seriecitas. Son más bien poco confiables, un poco escurridizas, pero muy entretenidas.

La pregunta del millón es entonces: ¿por qué si a los hombres les gusta "jugar" eligen siempre a las primeras y no a las segundas, que serían casi como la horma de sus zapatos? La respuesta es simple, mi querido Watson, y tiene relación con varios factores.

El primero de ellos es que los hombres somos monofocales, es decir, podemos concentrarnos solo en un objetivo. Y el principal objetivo de los hombres es el desarrollo personal, ser exitosos. Esto, porque aprendimos que un componente importante del amor de las mujeres hacia uno es la admiración, las mujeres van a fijarse en ti y respetarte en la medida en que a ti te vaya bien. Tenemos que tratar de ajustar en la figura del príncipe y, como podrán recordar, el príncipe tiene palacios y no tiene problemas económicos. Muchas mujeres negarán esto, porque decir que los "pesos" son importantes va en contra del romanticismo. Sin embargo, según mi experiencia en la consulta, cada vez que una mujer gana más que el marido, surgen problemas, no solo porque el hombre siente que no está a la altura de lo que se espera de él, sino también porque la mujer no se siente protegida. Por esto hay que poner el foco en ser exitoso.

El segundo de los factores, es que para los hombres también es muy importante la estabilidad representada por el hogar. Tener un refugio, un lugar adonde llegar a tirar los huesos después de las batallas del día en las que quizás estuvimos a punto de perder la vida o de ganar una condecoración a causa de un negocio. Necesitamos que la choza esté siempre ahí para nosotros, en lo posible ordenadita, con los hijos en regla y una esposa bien dispuesta, pero por sobre todo, confiable, segura y guardiana de esa estabilidad. Así no tenemos que ocupar nuestras neuronas en esto, sino en lo que realmente nos interesa, como ya dijimos, en el éxito personal.

Si elegimos a una mujer del segundo grupo, nada de eso es posible, porque a "la loca" hay que andarla cuidando, seguirle el ritmo, no descuidarse, prestar atención a sus movimientos, además de dejar tiempo para la casa porque seguro no va a estar tan "ordenada" como en el caso anterior. Todo esto requiere tiempo, energía y, sobre todo, atención, lo que nos obliga a poner el foco en dos cosas al mismo tiempo, algo que para muchos hombres es imposible.

Entonces, como los hombres somos prácticos, elegimos a la primera, que es la que nos permite tener la tranquilidad para poder desarrollarnos y alcanzar nuestros objetivos personales y, cuando queremos "jugar", lo hacemos con la segunda, entrando y saliendo, literalmente, sin que eso afecte nuestra estabilidad. Hasta que nos descubren y volvemos a poner el foco en el hogar, para poder recobrar la estabilidad y tener de nuevo las cosas en orden. En la consulta vemos que hombres que jamás tuvieron tiempo ni para acompañar al médico a sus esposas, pasan horas y horas en terapia, solo para intentar recuperar la normalidad que perdieron una vez descubiertos. Muchas veces me ha dado la impresión de que no es la mujer lo que más les interesa recuperar, sino la estabilidad, y que una vez recuperada, vuelven a cambiar el foco, concentrando nuevamente su atención en el desarrollo personal.

¿Por qué? Porque los hombres somos cazadores, a veces estamos interesados en cazar a otra mujer, pero muchas otras vamos detrás de una meta profesional, un logro, un auto, un puesto, lo que sea... porque, verdaderamente, lo único que nos entretiene es cazar.

¿Se podrá tener a las dos mujeres en una? Conseguir eso fue mi obsesión durante mucho tiempo. Más adelante les contaré cómo me fue.

*El verdadero amor
no se conoce por lo que exige,
sino por lo que ofrece.*

JACINTO BENAVENTE
Dramaturgo español

Los consejos del cura

Dos semanas antes de casarme, unos tíos muy queridos y cercanos se separaron. En ese tiempo, hace más de treinta años, las separaciones no eran tan comunes como hoy o quizás no se sabía tanto. Al menos en el círculo más cercano a mi familia no había ocurrido nunca.

Su separación me golpeó fuerte, porque tenía una relación bastante estrecha con ellos y nunca vi nada que me pudiera hacer pensar que algo así se estaba incubando. Al contrario, siempre los veía muy contentos y compenetrados. Fue una sorpresa mayúscula para mí y me asusté. Me asusté porque me di cuenta de que esta empresa que estaba a punto de emprender no era segura, que existía la posibilidad de que fracasara. Reflexión que casi ningún novio hace, porque "el enamoramiento" no te permite ver la realidad, que al parecer el amor no basta, que no es suficiente para asegurar que la relación funcionará.

Preocupado por lo de la separación de mis tíos, le fui a preguntar al cura que nos iba a casar:

—Oiga, padre, ¿sabe usted si existe una fórmula, una receta que asegure el éxito del matrimonio?

El padre me miró un poco turbado por la pregunta, respiró profundo y me dijo:

—Mira, hijo, la clave está en que tú trabajes para hacer feliz a tu mujer, ojalá sin preocuparte de tu propia felicidad, porque el amor es dar y no recibir, la ley de la vida dice que hay que sembrar para cosechar. Entonces siembra, porque cuando ella vea que el manantial desde el cual emanan todas sus alegrías y placeres eres tú, no va a querer perderte y también va a empezar a trabajar para que tú estés contento con ella. ¿Ves?, se va crear un círculo virtuoso. Así es que ¡a sembrar se ha dicho!

La verdad es que le encontré mucho sentido a lo que me dijo, así es que salí de la iglesia agradecido de los consejos del padre y contento, además, porque tenía claridad sobre lo que había que hacer y estaba muy dispuesto a hacerlo.

Al poco tiempo me casé y me puse a trabajar enfocado en que ella fuera feliz. Pero al tiempo me di cuenta de que al cura le había faltado decirme lo más importante, porque me dijo lo que había que hacer, pero no me dijo cómo había que hacerlo. Entonces así estuve yo, durante varios años, tratando de entender "cómo". Todo lo que pasaba por mi mente, lo que escuchaba en la televisión, en conversaciones de parejas mayores que nosotros o en conversaciones con amigos, lo ponía en práctica. Todo lo que leía y que sentía que podía servir, lo aplicaba, pero no funcionaba. Yo sentía que Mónica no era feliz; a veces lográbamos estar bien, pero duraba poco. Me sentía desilusionado e impotente, porque no podía lograr mi objetivo.

Un día, me encontré en la calle con un amigo bastante mayor que yo, que fácilmente podría haber sido mi papá. Nos tocó desarrollar un proyecto juntos y habíamos entablado una buena amistad. Nos pusimos a conversar y, en un momento, él me preguntó cómo iba el matrimonio.

—Bien —le respondí, no con mucho entusiasmo, al parecer.

—Bien… ¿estás seguro? No te veo muy convencido.

—Bueno, no tan bien la verdad y me es incómodo reconocerlo —comencé a desahogarme, al tiempo que nos pegábamos a la pared para dejar más libre la acera—. Créeme, Patricio, que hago serios intentos para que ella esté contenta conmigo, pero no me resulta. Todo lo que creo o siento que tengo que hacer lo hago y a veces le atino, pero la mayoría de las veces no. Tú sabes —continué— que nosotros nos conocemos desde los nueve años y que andamos desde los quince, por eso cuando nos casamos, yo pensaba que la conocía al revés y al derecho. Entonces, me pregunto, si nos conocemos como nos conocemos y nos amamos como nos amamos... ¿Por qué no funciona? ¿Por qué todo lo que hago a ella le parece que no es lo correcto o que no es suficiente? —le dije, mirando al cielo, como deseando que la respuesta se presentara ante mí como una revelación.

—Yo creo saber por qué no funciona —me dijo mirándome con compasión.

—O sea, ¿yo llevo cinco años tratando de descubrir por qué no funciona y tú en cinco minutos me vas a dar la respuesta? —le dije incrédulo.

—Yo creo —continuó como si no me hubiese escuchado— que no logras el objetivo de que ella esté contenta, a pesar de tus esfuerzos, porque quizás le das todo lo que a ti te parece que ella necesita, lo que tú crees que ella desea y no lo que ella realmente quiere o desea. Porque la lógica me dice que si ella estuviera recibiendo lo que a ella le gustaría recibir de ti, estaría contenta, ¿o no? —me preguntó sonriendo.

Me quedé de una pieza, ensimismado, analizando lo que acababa de escuchar. Le encontraba toda la lógica del mundo pero no podía creer que fuera así. Entonces le pregunté con temor, casi adivinando la respuesta, pero también esperando que no fuera lo que yo pensaba para no sentirme tan tonto por no haberme dado cuenta antes y por haberla pasado tan mal tanto tiempo:

—¿Y quién sabe lo que ella necesita?

—¡¡Pues ella!! Ella tiene la información de todo lo que necesita, desea, quiere, le gustaría, etc. Entonces, si estás tan interesado en darle todo eso, ve a preguntarle lo que quiere y cómo lo quiere, que te lo explique con manzanitas si es necesario —me dijo apuntándome con el dedo, como dándome una instrucción. Luego hizo un silencio, respiró profundo y continúo hablando más pausadamente—. Esto, Ricardo, que te ocurre a ti, le sucede a casi todo el mundo en las relaciones de pareja. Al final es un problema de comunicación, porque era cosa de que tú le pidieras a Mónica la información que necesitabas. Ahora, ella también tiene su cuota de responsabilidad, porque si te veía tan interesado en complacerla, debería haberte dicho: "No me sigas dando las cosas que me das, porque no es lo que quiero, lo que deseo es esto y de esta manera".

Hoy, que trabajo haciendo *coaching* para parejas, enseño que la clave es transmitirse mutuamente la información necesaria para no tener que improvisar permanentemente en cada una de las áreas de la relación. "Sí, claro —estarán pensando ustedes— pero ¿cómo nos pasamos esa información?". Bueno, eso es otra historia que tiene que ver con la comunicación.

He experimentado de todo,
y puedo asegurar que no hay nada
mejor que estar en los brazos
de la persona que amas.

JOHN LENNON
Músico y compositor británico

Misterios del otro género

Muchas personas que asisten a nuestra consulta se quejan por lo difícil que les resulta entender a su pareja y la razón de esta frustración está directamente relacionada con la falta de información sobre las diferencias de género. Este tema debiera ser una materia obligada en la escuela, en el ramo de ciencias humanistas o como se llame ahora. Sería superinteresante que a los niños se les enseñara por qué hombres y mujeres pensamos como pensamos, sentimos como sentimos y actuamos como actuamos. Les evitaríamos muchos conflictos en su etapa adulta.

Como muestra dos botones:

Muchas mujeres se quejan de que los hombres no hablan de sus sentimientos. Pero lo que ocurre es que se nos ha enseñado a ocultarlos, diciéndonos que "los hombres no lloran" o que "los hombres deben ser fuertes". La mayoría de las emociones son consideradas atributos principalmente femeninos. Así, un hombre que las manifiesta demasiado puede ser catalogado como débil, en el mejor de los casos, y no solo por parte de otros hombres, sino también por muchas mujeres.

Junto con la queja anterior, viene otra que tiene que ver con que, según las mujeres, los hombres siempre andan enojados o con la "cara larga". Esto último tiene relación con que desde niños a los hombres solo se nos permitió expresar una única emoción sin riesgo de ser descalificados: la ira. Por eso, cada vez que nos sentimos inseguros, nos enojamos; cada vez que tenemos pena, nos enojamos; si nos sentimos desorientados o sin saber qué hacer, nos enojamos; en fin, casi por cualquier cosa negativa, nos enojamos. Al parecer, es la única emoción que sabemos identificar y expresar correctamente.

Lo anterior no significa que no sintamos; hay una gran diferencia entre sentir y expresar lo que se siente; los hombres no sabemos hacer lo segundo. Las emociones no tienen que ver con el género, pero la forma de expresarlas sí y parece ser que existe un solo modo de actuar, el de los hombres, y un solo modo de sentir, el de las mujeres, y eso no es correcto.

¿CÓMO SABER QUÉ DECIRLES A LAS MUJERES?

Antes de ir a una fiesta, su pareja sale del baño muy atractiva, pero usted está ocupado y no le dice nada. Ella le pregunta: "¿Cómo me queda el vestido?". "Bien", responde usted. "¿No te gusta mucho?", insiste ella, y usted perplejo replica: "¿Por qué piensas eso?". Ella responde: "Es que solo me has dicho que bien". Usted piensa un poco y le dice: "Te ves bien, muy bien", pensando que ella entenderá que a usted de verdad le gusta el vestido y cómo se ve con él, pero a ella no le parece suficiente y se marcha de la habitación sin muy buen semblante.

Para las mujeres es difícil convivir con sus inseguridades, por lo que un poco de apoyo y entendimiento siempre será muy valorado. Es importante reforzarles la autoestima permanentemente. Necesitan palabras alentadoras, porque la mayoría de ellas encuentra, al menos, un defecto en su apariencia.

Preguntas como: "¿Con cuáles zapatos me veo mejor?", "¿cómo me quedan estos pantalones? "o "¿qué dices, me corto el pelo como la modelo?", pueden ser muy difíciles de contestar. Piense bien antes de hacerlo y evite respuestas que den pie a que ella haga más preguntas, como, por ejemplo: "Me gusta ese pantalón, te hace ver más delgada", porque será casi inevitable la respuesta: "¿Entonces crees que estoy gorda?". Si escoge uno de los zapatos, le dirá: "¿No te gustan los otros?". La idea es responder con detalles y aprender a ser más descriptivo, por ejemplo: "Me encantan los dos modelos de zapatos, pero creo que esos combinan más con ese vestido" o "Me cuesta decidirme porque no sé mucho de combinaciones, pero tú tienes muy buen gusto y con cualquiera que te pongas, seguro te verás fantástica".

Cuando las mujeres hacen estas preguntas, esperan que nosotros encontremos la respuesta precisa para hacerlas sentir seguras, pero a veces eso es imposible, ya que incluso dudan de los halagos más sinceros. Resalte las cosas positivas, no solo las piense, ¡¡dígaselas!! Y así estas mejorarán aún más.

En asuntos del amor, los locos
son los que tienen más experiencia.
De amor no preguntes nunca a los cuerdos;
los cuerdos aman cuerdamente,
que es como no haber amado nunca.

JACINTO BENAVENTE
Dramaturgo español

El amor no es suficiente

Hace varios años, una tienda de departamentos, con el propósito de crear mayor lealtad en aquellos novios que habían inscrito su lista de regalos ahí, nos pidió que armáramos un taller de tres horas de duración para entregar a las parejas una serie de herramientas de comunicación y resolución de conflictos. A nosotros la idea nos pareció brillante y, además, muy interesante que la multitienda estuviera preocupada por enseñarles a los futuros matrimonios ciertas "claves" para tener una relación más satisfactoria.

Rentaron para un sábado un salón para setecientas personas e invitaron, con varias semanas de anticipación, vía correo electrónico a dos mil novios. La invitación era a asistir a un taller de técnicas prácticas que harían funcionar su relación de pareja. Gratuito, por supuesto.

Ese día llegaron treinta y cinco parejas. Los organizadores "se jalaban los pelos" tratando de entender la razón de tan escasa asistencia y luego comenzaron a recriminarse unos con otros, echándole la culpa a la redacción de la invitación, al día elegido para hacerlo y a las características del lugar arrendado, entre otras cosas, hasta que yo me metí en la discusión:

—Yo creo saber lo que pasó —dije, y todos se dieron vuelta para mirarme con los ojos muy abiertos, esperando que continuara con mi teoría—. Lo que pasa es que esos enamorados creen que su relación sí o sí va a funcionar.

—¿A pesar de que muchos de ellos son hijos de padres separados y los que no, saben que muchas parejas se separan? —me preguntó quien había sido el gestor de la idea.

—Sí, pues... Puede ser raro, poco inteligente, incomprensible, pero así es. El entusiasmo muchas veces no te deja ver más allá de la punta de la nariz. Aunque las estadísticas sean devastadoras: casi 50% de los matrimonios (sin incluir a quienes conviven) termina separado y de la otra mitad, 73% declara no estar realmente contento con la relación. Según estudios realizados por nuestro centro, los matrimonios realmente exitosos representan 13.5%. Prácticamente uno de cada diez. Una cifra bastante baja si consideramos que todos quienes nos casamos o decidimos convivir, lo hacemos con la mejor de las ganas, disposición e intención de que la relación funcione, sustentándonos en un sentimiento tan poderoso como es el amor. Esto nos lleva a pensar que el amor no es suficiente para tener una buena relación de pareja, ya que hay personas que se quieren mucho y se llevan pésimo, no se soportan e incluso piensan en la separación.

¿Qué falta entonces? ¿Qué necesitamos para que nuestra vida en pareja funcione? Varias cosas. La primera de ellas es tener claro para qué nos casamos, con qué objetivo.

Cuando preguntamos para qué se casan las personas, las respuestas más comunes son: para formar una familia, para desarrollar un proyecto de vida en conjunto, para compartir la vida o para envejecer juntos. Pero no, las personas no se casan por eso. Lo hacen por una sola razón, para cumplir un solo objetivo: ser felices y pasarla bien... formando una familia, desarrollando un proyecto de vida en conjunto, compartiendo la vida y envejeciendo juntos, entre otras acciones. Sin embargo, el objetivo principal y que incluye a todo el resto de las razones es ser felices y pasarla bien.

Pienso y siento que cuando uno se casa o se empareja no lo hace por amor, sino por interés. "¿Interés en qué?", me preguntará usted. En ser feliz. Conoces a una persona que es con la que mejor la pasas y la que mejor te hace sentir, y como quieres que esa condición de bienestar se perpetúe en el tiempo, te casas con ella. Pero una vez viviendo juntos surgen los problemas: "Te hice saber la primera situación que me molestó, y no reaccionaste bien. Pensé en decirte la segunda cosa y, por miedo a tu reacción, me callé. La tercera, la cuarta, la vigésima, la centésima…". Entonces, son tantos los problemas sin solución acumulados en la mochila matrimonial, que las parejas dejan de trabajar por cumplir el objetivo original y ponen el foco en los problemas y, como no saben cómo resolverlos, la relación comienza a contaminarse y dejan de pasarla bien.

Entonces viene la reflexión fatal: "Si yo me casé contigo para ser feliz y pasarla bien, pero la paso pésimo, quiere decir que nuestra relación no tiene sentido. No se está cumpliendo el objetivo para el cual nos casamos". Y es así como muchas parejas, luego de hacer este análisis consciente o inconscientemente, deciden separarse. Pero no lo hacen porque no se quieran ni tampoco porque tengan problemas psicológicos. Lo hacen por la interminable lista de conflictos no solucionados, que crece día a día y que no les permite cumplir con el objetivo para el cual se casaron. Es decir, son los problemas los que te joden la vida. Pero los problemas no son el problema, "el problema" es no saber solucionarlos. La única diferencia entre una pareja exitosa y otra que no lo es es que la primera sabe resolver sus problemas y la otra, no.

Lo complejo de este asunto es que nadie te enseña cómo solucionarlos. Uno se capacita para todo en la vida menos para lo más difícil y definitivo: ser padres y ser pareja. Si les preguntara cómo están educando a sus hijos, seguramente me responderían que lo mejor posible, basados en la educación que ustedes recibieron. Me dirían algo así como: "Tratamos de rescatar lo mejor de cada modelo y luego conformamos un modelo propio por el cual nos ceñimos para la educación de nuestros hijos", ante lo que yo les preguntaría: "¿Y quién les asegura que esos modelos en los cuales ustedes se basaron para armar su propio modelo eran los correctos? Nadie, ¿verdad? La realidad es que uno educa a sus hijos como a uno le "parece" que es correcto. El problema es que cuando uno hace las cosas así, tiene dos opciones: acertar o equivocarse, y si uno tiene la mala suerte de equivocarse más veces que las que acierta, probablemente terminará teniendo problemas con su hijo.

En la relación de pareja pasa lo mismo. Es difícil que las parejas hagan cosas a propósito para hacerle la vida imposible al otro o que hagan cosas premeditadas para tener una mala relación de pareja. Seguramente también hacen lo mejor que pueden.

Desde el primer día de casados o convivientes, las personas empiezan a tomar decisiones como las siguientes: "Voy a dejar que ocupe la mayor parte del clóset"; "no le voy a decir que no me gusta que se ponga esa pijama"; "voy a compartir con él o ella eso que tanto le gusta"; "mejor no le voy a decir esto que me pasó porque se puede molestar"; "no voy a proponerle esta fantasía porque a lo mejor va a pensar mal de mí"; "voy a convencerlo de que me acompañe, porque es bueno para la pareja compartir ese tipo de cosas" o "le voy a decir qué bueno para que esté contenta".

Todas estas decisiones, una tras otra, surgen con la mejor intención, con el propósito de hacer de la vida en pareja algo agradable. Pero si ese propósito no se logra es signo de que hemos tomado más decisiones equivocadas que acertadas. El único parámetro para darnos cuenta de si a lo largo de nuestra vida en pareja hemos tomado las decisiones correctas, es fijarnos en el resultado. Si tenemos una relación constructiva, rica, entretenida y comprometida, es señal de que hemos acertado con nuestras decisiones. Pero si, en cambio, nuestra relación es destructiva, poco comunicativa o aburrida, es señal de que hemos tomado más decisiones equivocadas que acertadas.

Ahora, ¿hemos tomado decisiones equivocadas a propósito? Definitivamente no. Las personas hacen lo que creen que es correcto o necesario, según su criterio en ese determinado momento. Y, en general, la razón de fondo tiene que ver con el desconocimiento, más que con un desorden psicológico, pero en ambos casos se da que el hecho puntual no fue cometido conscientemente con el fin de herir al otro o dañar la relación.

Muchas veces, cuando nos encontramos frente a una pareja que siente que la está pasando mal y que su relación va de mal en peor, les hacemos a ambos las siguientes preguntas:

❥ ¿Quieren tener una buena relación de pareja?

❥ ¿Les gustaría que su pareja sea su compañero o compañera?

❥ ¿Les gustaría que su pareja fuera su amigo o su amiga?

❥ ¿Les gustaría ser confidentes, amantes y cómplices con su pareja?

❥ ¿Quisieran poder comunicarse eficientemente con su pareja?

❥ ¿Les gustaría poder decir lo que piensan y sienten sin que se transforme en una situación desagradable?

❥ ¿Les gustaría llegar a acuerdos con su pareja?

SÍ, contestan a cada una de estas preguntas y entonces les hacemos una última:

❥ Y si tienen tan claro lo que quieren y ambos quieren lo mismo, ¿por qué no lo hacen?

La respuesta es una sola: "No sabemos cómo, lo hemos intentado muchas veces, pero no nos resulta". Esta es la gran verdad, las parejas quieren tener una buena relación, pero no saben cómo lograrlo. La buena noticia es que se puede aprender.

Cambian los tiempos, cambian las voluntades,
cambia el ser, cambia la confianza.
Todo el mundo está hecho de mudanzas,
adquiriendo siempre nuevas cualidades.

LUÍS VAZ DE CAMÓES
Escritor y poeta portugués

La gente no cambia

Muchas veces llegan a nuestra consulta personas muy desesperanzadas porque sienten que él o la culpable de todas sus calamidades es su pareja. La desesperanza está fundamentada en que "el otro" no va a cambiar. Y si no va a cambiar, entonces pareciera que la relación no tiene arreglo, que no va a funcionar. De todas formas estas personas me preguntan:

— ¿Es posible que mi pareja cambie?

—Sí, pues, absolutamente posible —les respondo con seguridad.

—Entonces, ¿usted puede ayudarme a que cambie? —me vuelven a preguntar para asegurarse de que escucharon correctamente.

—Absolutamente —les repito—, las personas cambian, lo veo aquí en la consulta todos los días.

—¡Entonces hagámoslo! —me dicen entusiasmados.

—Ok. Y ¿cómo le gustaría a usted que lo hiciéramos para lograrlo? ¿Preferiría que nos fuéramos por el camino corto o por el camino largo? —pregunto.

—Por el camino corto, obviamente, entre más rápido mejor —me responden ansiosos.

—Entonces, primero cambie usted, ese es el camino más corto.

Pero, como podrán imaginar, a las personas no les gusta que les dé esta sugerencia, a pesar de que alguien puede lograr grandes cambios en la relación actuando sola. La relación de pareja es un sistema en el que las conductas y actitudes de uno de sus miembros pueden causar un gran impacto en el otro. Esto es porque hay que sembrar para cosechar y porque uno de los principios básicos de la relación de pareja es el de acción y reacción.

"¡Pero no es justo", protestan algunos. Y realmente no parece justo, si consideramos que serán ambos los que se beneficiarán de su acción. Sin embargo, lo importante no es que sea justo, sino que se consiga el objetivo de mejorar la relación. Al decidir hacer el trabajo sin ayuda de la pareja, le estará haciendo un regalo a la relación y también a la persona que ama.

Cuando algunos dicen: "Yo no voy a cambiar; mi pareja me conoció así. Soy así y qué se le va a hacer", están teniendo una actitud incorrecta, porque se están atribuyendo una condición similar a la de una puerta, a la de un objeto inanimado que no tiene voluntad. Definitivamente las personas cambian. Pero lo que los hace cambiar no son solo las ganas de cambiar, sino el haber vivido los beneficios de ese cambio.

Para explicarlo mejor haré la siguiente analogía: si ustedes vienen a mí solicitándome ayuda porque cada vez que entran a una determinada habitación se tropiezan con algo y yo descubro que lo que hacen mal es entrar a la habitación a oscuras, probablemente les pediré que la próxima vez, antes de ingresar a dicha habitación, opriman un interruptor que hay en la entrada. Lo que ocurrirá es que seguirán las instrucciones, la habitación se iluminará y podrán desplazarse por el interior de ella sin tropezarse. El haber vivido en carne propia los beneficios de esa experiencia debiera hacer que la próxima vez que quieran entrar a esa habitación, antes de hacerlo, aprieten el bendito interruptor.

Uno es lo que ha aprendido a ser; de hecho, si yo a usted lo hubiese raptado de los brazos de su madre a los dos meses de vida y me lo hubiese llevado a vivir al

Tíbet, sería una persona totalmente distinta, pensaría y sentiría de manera diferente. ¡Vería la vida de manera distinta a como lo hace hoy!

Lo importante es entender que todo lo que se aprendió de una manera se puede reaprender. En esta línea, el psicólogo Herbert Gerjuoy, de la Human Resources Research Organization, planteó: "Los analfabetas del siglo XXI no serán aquellos que no sepan leer y escribir, sino aquellos que no sepan aprender, desaprender y reaprender". Desde que nacemos, nos vemos obligados a un constante aprendizaje en el que la familia, el país, el colegio, el barrio, los amigos, las experiencias propias y ajenas, voluntaria o involuntariamente, van forjando nuestra forma de pensar, de actuar, de ver y sentir la vida, y cambiar de creencias es difícil sobre todo cuando estas se consideran como las únicas valederas. Sin embargo, cuando nuestra forma de hacer las cosas no ha dado resultados satisfactorios, no es inteligente insistir por el mismo camino; es una locura hacer la misma cosa una y otra vez, esperando obtener resultados diferentes. Hay que dejar atrás viejas convicciones y abrir la mente a nuevas ideas y formas de hacer las cosas. La mente es como un paracaídas... solo funciona si está abierta.

En el verdadero amor
no manda nadie;
obedecen los dos.

ALEJANDRO CASONA
Poeta y dramaturgo español

Las quejas y las instrucciones

Hace un tiempo, Mónica y yo nos fuimos a vivir a una casa de campo que está emplazada en la ladera de un cerro. Como ella es muy artista, confeccionó el número de nuestra casa sobre un vidrio de aproximadamente 30×40 centímetros y, utilizando piezas de cerámica, hizo una especie de mosaico. Ocupó dos fines de semana en hacerlo. Cuando estuvo listo, me apresté diligentemente a instalarlo en uno de los pilares de la entrada. Yo no soy un "maestro de pacotilla", me gusta ser un versado en el asunto y, por lo mismo, tengo un set de herramientas bastante bueno. Me hice entonces de taladro, desarmador, taquetes y cuatro pernos de buenas proporciones y me dirigí entusiasmado a la salida de nuestra casa de campo, porque me encanta realizar este tipo de trabajos. Pero salía de la casa rumbo al portón, cuando escuché a mi señora decirme: "Asegúrate de que quede firme".

Me detuve un momento y pensé: "¿Será que ella cree que soy tan estúpido que no voy a dejar bien instalado y seguro el vidrio con mosaicos que le tomó dos fines de semana realizar?". Pero, como soy "un santo", continué mi marcha sin decirle nada.

Estaba por comenzar a utilizar el taladro para hacer los hoyos en el pilar, cuando apareció en moto un guardia del condominio y se detuvo a mi lado:

—Qué bonito el número, don Ricardo, ¿necesita que lo ayude a instalarlo? —me preguntó.

—Se lo agradecería mucho —le contesté.

Se bajó de la moto y pusimos manos a la obra. Cuando estuvo instalado, tomé el celular y llamé a Mónica para que lo viniera a ver. Cuando venía en camino, me dirigí a mi ayudante ocasional y le dije: "Mire, don José, le voy a decir lo que va a hacer ella cuando llegue. Primero, lo va a saludar a usted y luego, después de ver el trabajo terminado, dirá que le parece bien, pero inmediatamente me preguntará: "¿Quedó firme?", y yo, por supuesto, le voy a responder que sí, pero de todas formas ella va a ir a cerciorarse de que sea cierto".

"¿Cómo está, don José?", preguntó Mónica apenas llegó a nuestro lado. Luego se dio vuelta hacia el vidrio ya instalado y exclamó: "¡Me encanta cómo se ve!". Inmediatamente volteó su mirada hacia mí y me preguntó: "¿Quedó firme?", el guardia me miró con cara de asombro y, a una señal mía de complicidad, casi imperceptible, le respondió: "Sí, señora Mónica, quedo superfirme, le pusimos cuatro pernos en vez de dos, no lo mueve con nada. Se puede caer el pilar en donde lo pusimos, pero el número por ningún motivo". ¿Qué creen ustedes que hizo ella? Efectivamente, fue a cerciorarse de que fuera cierto. Desgraciadamente, estimados congéneres, no hay nada qué hacer contra eso.

¿Por qué lo hacen? ¿Por qué te están dando instrucciones permanentemente? "Para quedarnos tranquilas", es la respuesta que más escucho de ellas cuando les hago esa pregunta. Pero ¿por qué no pueden quedarse tranquilas si su hombre les está diciendo que está bien? "¿Será porque no confiamos?", me dicen. Yo creo que hay un poco de eso, pero también creo que es porque necesitan tener el control en el hogar hasta en los más mínimos detalles. Y como supuestamente nadie hace las cosas tan bien como ellas, no solo te dan instrucciones antes de hacer tal o cual cosa, sino que después ¡la revisan! Y siempre, o casi siempre, hay algo que corregir. ¡Como si fuéramos sus hijos!

Leí hace un tiempo las conclusiones de un estudio realizado en un centro de investigación alemán sobre temas de familia que decía más o menos lo siguiente: la razón por la que a las mujeres les cuesta ser felices en la relación de pareja tiene que ver fundamentalmente con querer mejorar siempre las cosas, algo que está en su esencia de mujer. La humanidad ha ido desarrollándose gracias a la sensibilidad que tienen ellas para ver en dónde hay que hacer mejoras en todas las áreas de la vida; las mujeres detectan la necesidad y los hombres vamos detrás, creando, inventando o ejecutando las acciones necesarias para producir el cambio. Sin embargo, creo que esa "sensibilidad" le hace mal a la relación de pareja, porque, para ellas, a la relación o a la pareja siempre le falta algo.

Cuando asisto a eventos sociales en los que no conozco a mucha gente y alguien me pregunta a qué me dedico, primero dudo si decir la verdad, porque si lo hago, seguro que termino hablando toda la noche de este tema. Pero cuando confieso que me dedico a trabajar con parejas, nunca falta la mujer que me dice:

—Yo me saque la lotería con mi pareja.

—¿Es perfecto, entonces? —replico a propósito, sabiendo la respuesta.

—Bueno... perfecto no —se apresuran a aclarar—; me encantaría que fuera un poco menos trabajólico, o un poco más cercano a los niños, o no tan mal humorado...

O sea, perfecto no es, y estoy seguro de que tampoco hace las cosas de la manera que a ella le gustaría. Esto probablemente deriva en quejas hacia él cuando le pide que vista al niño y no elige la combinación de colores adecuada; cuando va al supermercado y no recuerda que debía comprar el producto de la tapa verde; cuando se olvida de que esas cosas no van aquí, sino allá, y así.

Ahora, quizás está bien intentar mejorar las cosas, porque todo es perfectible, pero desgraciadamente esta tendencia femenina tiene que ver con por qué los hombres te dicen que no logran ser felices en el matrimonio: porque sus mujeres no son felices con ellos.

El hombre probablemente reflexiona: "Según las estadísticas mundiales de población, me deberían tocar tres mujeres para mí solito. Pero soy tan tonto, que ni siquiera soy capaz de hacer feliz a la única que me tocó".

"¡Pero si tener contenta a una mujer es muy fácil!", les digo a los hombres cuando llegan frustrados a nuestra consulta. Para hacer feliz a una mujer es necesario lograr un solo objetivo: que ella sienta que es lo más importante para ti. Más importante que tu trabajo, tu mamá, tus hijos, tus amigos; en fin, más importante que todo en la vida. Y si logras que ella sienta eso, la tendrás a tus pies. ¿Cómo se consigue? Con detalles, pero puede ser aún más fácil: ve a preguntarle a ella qué necesita concretamente de ti para sentirse de esa forma, que te lo explique con manzanitas.

En el amor, lo de menos
son los insultos;
lo grave es cuando
empiezan los bostezos.

ENRIQUE JARDIEL
Dramaturgo y novelista español

Te quiero, pero me aburro

Cuando aún no me dedicaba a esto de los conflictos de pareja, mi trabajo era viajar por el mundo. Hacía un programa de viajes para la televisión, y todos los meses tenía que subirme a un avión con el propósito de ir a reportear a algún destino turístico. ¡Y me pagaban para que lo hiciera! Sí, era muy afortunado.

Doce años duró esa etapa de mi vida que fue muy entretenida, pero que también tenía su lado negativo, porque no pasaba mucho tiempo con la familia. Esto nos afectaba en muchos aspectos, pero había uno que solo yo sentía y que era difícil de plantear. Se trataba de lo siguiente: las dos semanas que pasaba viajando, eran intensas, entretenidas, muchas veces adrenalínicas y, en cambio, las dos semanas en casa, eran todo lo contrario. Me gustaba por supuesto estar y compartir con nuestras hijas y con Mónica, pero muchas veces sentía que me aburría. Y un día, me atreví a decírselo:

—No es que no te quiera —comencé diciéndole—, sabes que eres la mujer de mi vida. Pero encuentro que no la pasamos bien, aunque tampoco la pasamos mal... lo que pasa es que no la pasamos —como podrán percatarse, yo no tenía las cosas muy claras—. No sé, siento que a nuestra relación le falta algo, porque siempre es lo mismo. Llego a la casa un poco después que tú, nos saludamos, intercambiamos información de cómo fue nuestro día, cenamos, vemos televisión un rato, luego a dormir y, a veces, organizamos alguna actividad de corte sexual. El fin de semana también es predecible: el sábado en la mañana vamos al supermercado, en la tarde llevamos a las niñitas a alguna actividad y por la noche vemos una película, vamos a cenar o al cine o invitamos o vamos con "los Martínez" —que son unos amigos que en ese tiempo vivían cerca de nosotros—. Y el domingo nos levantamos un poco más tarde, vamos a almorzar con alguno de nuestros padres, después nos damos una vuelta por el mall o por el parque de juegos para niños, para llegar al atardecer a revisar las tareas de nuestras hijas. ¿La verdad? Lo encuentro una lata. Pero, te insisto, no es que no te quiera ni que me quiera separar; lo que pasa es que no quiero seguir así.

—¿Te interesa buscar ayuda? —me preguntó no muy segura de cuál iba a ser mi respuesta, porque yo era de los que no comulgaba con terapeutas de ningún tipo.

—Sí, por supuesto —le contesté convencido, porque ya había pensado mucho en cuál podría ser la solución y no se me ocurría.

Entonces, Mónica comenzó a buscar un especialista que pudiera ayudarnos. Ella se encargó de esa tarea, porque en ese tiempo ya se desenvolvía en este mundo de las terapias, trabajando con niños. Y, además, todavía no existía internet. Paralelamente, yo comencé a realizar un estudio propio. Cada vez que me encontraba con algún amigo de relativa confianza, le preguntaba si se entretenía dentro de su relación de pareja, y en general las respuestas no eran muy alentadoras.

Llegó nuestra primera cita con el psicólogo. Llenamos nuestra ficha, nos sentamos frente a él y se preparó para comenzar a tomar notas:

—¿Y... qué los trae por aquí? —nos preguntó.

—Dile tú —me endosó Mónica. Y lo sentí como: "El problema es tuyo". Pero la verdad es que no sabía cómo comenzar.

—A ver... siento que me aburro —solté sin saber si era correcto decir aquello.

—¿Cómo que me aburro? —me preguntó bastante intrigado.

—Mire, no es que esté aburrido de la relación o la quiera terminar. Lo que pasa es que dentro de la relación me fastidio. No la paso bien... me aburro.

—Pero, ¿usted la quiere? —preguntó dirigiéndose a Mónica.

—Sí, pues. Ella es la mujer de mi vida, con ella decidí formar una familia y me comprometí a cuidarla y protegerla hasta el último día de mi vida; pero me aburro.

—Bueno, pero podrían generar algún tipo de actividades en pareja que los entretenga...

—¿Cómo cuáles? —lo interrumpí, ansioso por escuchar la solución a mi problema.

—Salir a bailar, por ejemplo; darse tiempo para estar más en pareja, viajar, hacer algún curso de cocina juntos, hacer nuevos amigos... —sugirió.

—A ver, mire —lo volví a interrumpir— yo siento que la cosa no va por ahí, porque nosotros hacemos muchas cosas... ¿Sabe lo que yo creo? —le pregunté y seguí, sin esperar su respuesta—. Creo que perdimos la conexión, nos desconectamos. La misma conexión que nos hacía estar conversando horas y horas sentados en el banco de un parque o que me hacía llegar a mi casa a llamarla, después de estar todo el día con ella, cuando todavía no nos casábamos ¡y llevábamos siete años de novios! Ahora, por mi trabajo, muchas veces andamos viajando, conociendo lugares increíbles, cenando en restaurantes preciosos o bailando por ahí en una discoteca arriba de un crucero... y, aun así, siento que no la pasamos tan bien.

—¿Y sexualmente? —me preguntó, sin dejar de escribir en su libreta.

—Bueno, bien... ella tiene orgasmos, yo también, así es que desde ese punto de vista, bien. Pero la dinámica tampoco es muy entretenida —respondí.

Cuento corto: no nos dio ninguna solución. Fuimos a dos terapeutas más y el resultado fue el mismo. La última me mandó al psiquiatra. Pero, la verdad es que a la larga, nos hicieron un favor, porque este tema se transformó en una obsesión para mí. Sentía que tenía que haber una solución para esto que nos afligía a nosotros y a tantas otras parejas que se querían y que, por lo mismo, tal vez inconscientemente, decidían conformarse.

Entonces me puse a leer como loco cuanto libro encontré referente a este tema (en mi casa hay más de trescientos de esa época). Conversé con cuanta persona se cruzó en mi camino, especialista o no especialista, que tuviera algo que aportar. Viví situaciones que me hicieron reflexionar y también tuve muchos momentos de meditación en solitario, esperando que el cosmos o no sé qué, un rayo quizás, cayera sobre mi cabeza y energizara mis neuronas de tal manera que pudieran, ellas solitas, ordenar toda la información obtenida para darle un sentido. La verdad es que algo de ello ocurrió, no un rayo, pero sí una serie de situaciones que tuvieron un efecto similar, la mayoría de las cuales están descritas en este libro. En fin, tuve suerte.

Te amo para amarte
y no para ser amado,
puesto que nada me place tanto
como verte a ti feliz.

ANTOINE DE SAINT-EXUPÉRY
Escritor y aviador francés

EL PARQUE DE DIVERSIONES

Hace varios años fuimos a una convención en Porto Alegre, Brasil, donde había muchas parejas entre los asistentes. Una vez, después de la jornada de trabajo, fuimos a cenar en grupo y nos quedamos charlando hasta tarde, intercambiando opiniones sobre las diferentes realidades de los países de origen de cada uno, relatando algunas anécdotas personales y, obviamente, hablando acerca de las relaciones de pareja. Estábamos debatiendo sobre las separaciones, cuando uno de los hombres, de aproximadamente cincuenta años y sin un físico muy especial, dijo dirigiéndose a todos nosotros:

—Si de algo estoy seguro es de que mi pareja nunca va a sentir deseos de separarse de mí, de abandonarme —afirmó mientras todos los demás hombres presentes nos miramos sorprendidos, porque además no parecía que estuviese hablando en broma—. Y no es que no pueda —continuó—, porque de hecho no estamos casados, convivimos hace veinte años, nuestros hijos ya no viven con nosotros y ella es independiente económicamente. Lo que estoy diciendo es que a ella nunca le van a dar deseos de deshacerse de mí.

En aquel momento aún más intrigados y perplejos, le preguntamos a coro cuál era el secreto. Entonces él esbozo una sonrisa y nos contestó:

—No existe ningún secreto, tiene que ver con la lógica de la naturaleza de las personas... porque, ¿quién quiere abandonar, quién quiere deshacerse de un parque de diversiones?

Detonó una carcajada general en el recinto. Desgraciadamente no estaba su pareja presente para haberle preguntado si aquello era efectivo, pero su discurso me hizo sentido, porque sería raro que uno quisiera abandonar a la persona con la cual uno la pasa increíble. Por otra parte, es probable que a esa persona le dejes pasar muchas cosas por alto, porque no vaya a ser que se enoje, te abandone y dejes de disfrutar de los beneficios "del parque de diversiones".

A raíz de esto, me transporté al inicio de mi matrimonio y me pregunté: "¿Cuál fue la razón de fondo por la que Mónica me eligió? ¿Cuál fue la razón práctica, la que tiene que ver con la naturaleza de las personas?". Sin duda, ella me eligió porque determinó que entre todas las personas que conocía, yo era la que mejor la hacía sentir, con la que mejor la pasaba.

En definitiva, uno se casa para pasarla bien, para experimentar "el parque de diversiones", pero con el paso del tiempo suele suceder que perdemos el foco. Y, ¿por qué lo perdemos en esta área de la vida y no en otras?

Tomemos como ejemplo los viajes. ¿Para qué viajamos? ¿Para conocer otras culturas, vivir otras experiencias y comer cosas ricas? No. Lo hacemos para pasarla bien, igual que cuando nos casamos; viajamos para entretenernos haciendo las cosas que antes enumeraba. Pero el objetivo que envuelve todo es pasarla bien. Sin embargo, quien haya viajado sabe que en esa aventura también hay problemas: que no llegó el guía, que la habitación que nos asignaron no era de la calidad que habíamos solicitado, que estamos en Cancún y ha llovido tres días; en fin, un sinnúmero de situaciones imprevistas que pueden complicar todo. Pero los turistas casi nunca se dejan amilanar por este tipo de situaciones; yo he escuchado decir a turistas que perdieron su equipaje: "Bueno, ¿qué le vamos a hacer? Pasaremos toda la semana con lo puesto, pero vinimos a pasarla bien, ¿o no?". Los turistas jamás pierden el foco, nunca o casi nunca, se desvían de su objetivo, quizás porque están pagando para pasarla bien y están dispuestos a cualquier cosa con tal de lograrlo. No importa lo que sea, nunca permiten que las situaciones del día a día les impidan lograr el objetivo que motivó el viaje.

En el matrimonio, como en los viajes, el foco debe estar puesto en estar contentos, en pasarla bien. La vida es un regalo y hay que disfrutarla. Los problemas no son el problema, el problema es no saber solucionar-los. Los problemas son solo "situaciones por resolver". Con Mónica les llamamos las "SPR" y su gracia es que casi siempre traen la solución incorporada. El secreto para encontrarla es poner el foco en ella y no en tener la razón. Tener la razón no soluciona los problemas, a veces, incluso, los empeora.

Es tan absurdo pretender que un hombre
no puede amar siempre a la misma mujer,
como pretender que un buen violinista
no puede tocar siempre el mismo instrumento.

HONORÉ DE BALZAC
Novelista y dramaturgo francés

Ufff... la infidelidad

Una especie de definición

Imagínense la siguiente situación. Voy a cambiar una camisa al centro comercial y allí me encuentro con una amiga de manera fortuita y decidimos ir a tomarnos un café. Cuando llego a casa, Mónica me pregunta:

—¿Cómo te fue, cambiaste la camisa?

—Sí —le contesto sin mucha explicación.

—¿Y qué más hiciste, aprovechaste para recorrer la plaza?

—No… me senté un rato a tomar un café.

—¿En serio? —me pregunta sorprendida, porque yo jamás hago eso.

—Sí, estuve mirando pasar a la gente, leí un rato… y nada más.

¡Eso es una infidelidad! Un ocultamiento, a propósito, que involucra a una tercera persona. Por supuesto, hay niveles de infidelidad; no es lo mismo tomarse un café con una amiga que acostarse con ella. Para nosotros la infidelidad es el síntoma de una enfermedad mayor de la relación, es como el vínculo que existe entre la fiebre y la infección. Si tienes un hijo con fiebre y te ocupas solo de bajársela y no de lo que la está provocando, seguramente lograrás disminuir el síntoma una o dos horas, pero volverá a aparecer si no has solucionado el problema de fondo.

En muchas ocasiones llegan a la consulta parejas que se han visto en esta situación de infidelidad más de una vez y el "engañado(a)" viene muy mal porque nos cuenta que ya estuvo dispuesto(a) a perdonar y seguir adelante, pero que su pareja volvió a traicionarlo(a). Yo entonces les pregunto:

—Cuando decidieron dejar la infidelidad atrás y seguir adelante, ¿cambió la relación o siguió siendo más o menos la misma?

—Siguió siendo la misma —me responden generalmente.

—A Einstein —les comento— le parecía una locura pretender obtener resultados diferentes haciendo las mismas cosas. Si la relación siguió siendo más o menos la misma que antes de que se produjera la infidelidad, entonces las posibilidades de que no se repitiera, eran francamente muy escasas. Algo que podría contribuir a que esa situación no se repita sería que la relación fuera muy distinta.

LA OTRA INFIDELIDAD

Muchas veces, cuando me enfrento a una persona que ha sufrido una infidelidad, la escucho decir:

—Lo que pasa es que es difícil seguir adelante porque mi pareja "se me cayó".

— ¿Y de dónde se te cayó? —le pregunto.

—Solo se me cayó, pues —me contesta evadiendo la respuesta.

—Sí, ¿pero de dónde? —insisto, sabiendo de antemano lo que me van a responder.

—Bueno… del pedestal —me responde algo resignada a lo que viene.

—¿Por qué tenías a tu pareja arriba de un pedestal? Arriba de un pedestal uno coloca a los santos y a los héroes, no a la pareja. Además, entre más alto el pedestal, más fuerte el porrazo. A ver, déjame hacerte una pregunta: ¿ustedes se sentían amigos?

—Bueno, últimamente no.

—¿Cómplices?

—No, tampoco

—¿Sentían que su relación era íntima, rica, entretenida, pasional?

—No —me responde de forma casi inaudible y moviendo solo la cabeza.

—Entonces, ¿tenían buena comunicación?

—No.

—Ya; entonces sexualmente se llevaban bien…

—No.

—¿Y todavía tenías la expectativa de que esto no iba a ocurrir? —le pregunto inquisitivamente.

—Pero ¿qué pasa con los principios, los valores, los compromisos?

—Mira, confiar en los principios y en los valores de la especie humana, es otra expectativa equivocada, porque la mayoría de las personas no están dispuestas a cumplir con lo prometido a costa de todo. De hecho, hace rato que tú misma(o) te dabas cuenta de que la relación ya no era como antes, ni tan íntima, ni tan entretenida como antes, y no hiciste nada. O sea, fuiste infiel al compromiso de trabajar por la relación permanentemente. Y esa infidelidad es la que la mayoría de las veces provoca la otra —le respondo.

No hay que olvidarse nunca de la verdadera naturaleza de las personas. El amor de pareja es, a mi juicio, absolutamente condicionado, y sería muy interesante que esto quedara claro desde el principio. En las celebraciones de matrimonio, ya sean civiles o religiosas, debería cambiarse eso de "prometo amarte y protegerte siempre hasta que la muerte nos separe" por algo así como "yo prometo amarte y protegerte, siempre y cuando tú también lo hagas". ¿Sería mejor no? Al menos las cosas quedarían claras.

Nadie se preocupa del infiel

Esto es casi un dato, pero es importante. Cuando llega a nuestra consulta una pareja que ha sufrido una infidelidad, casi siempre el(la) infiel llega en una actitud muy sumisa y dispuesto(a) a que lo(a) crucifiquen. Sentirse traicionado por la persona que uno más ama en la vida es de las cosas más dolorosas que nos pueden pasar. Pero sentirse culpable de que la persona que tú más amas en la vida sufra ese dolor, también genera un dolor intenso que generalmente no puede expresarse, porque es necesario ocuparse solo del "engañado o engañada".

Por otra parte, es importante no quedarse solamente con que "fue un error", es necesario también escuchar a la persona infiel y saber realmente lo que está sintiendo, porque le podría estar ocurriendo algo importante asociado a su formación o a experiencias de vida.

Por último, no hay que olvidarse de que en la relación de pareja el principio de "acción-reacción" funciona constantemente y que el hecho concreto de la infidelidad es solo el último eslabón de la cadena. Cadena que está formada por eslabones aportados por los dos miembros de la pareja.

EL PERDÓN

"Jamás se me va a olvidar lo que tú hiciste y que me causó tanto dolor. Me podrá importar o doler menos con el tiempo, pero jamás lo olvidaré. Incluso, a mí me gustaría que se me olvidara, porque cada vez que me acuerdo, me duele; pero siempre aparece algo que me hace recordar". Estas líneas son un resumen de lo que escucho de quienes han sido engañados. O sea, el perdón no es olvido. Entonces, ¿qué es?

Si tuviera que pedirle perdón a Mónica por una infidelidad, le diría algo más o menos así: "Haz de cuenta que entre los dos formamos un canal por el que fluye nuestra vida en pareja. Debido a lo que hice y que a ti te causo dolor, le pusiste un dique al canal y nuestra relación se estancó y se está contaminando y descomponiendo día a día. Te vengo a pedir entonces que abras la compuerta y dejes que la relación siga fluyendo con toda su fuerza de tal manera que se reavive y florezca nuevamente. Esto no quiere decir que lo que yo haya hecho no sea importante; tampoco significa que yo no tenga que esforzarme por enmendar mi error; solo tiene que ver con darle una oportunidad a la relación. En resumidas cuentas, lo primero que te vengo a pedir es que dejes de vivir la relación con el freno puesto. Lo segundo es que no me sigas cobrando o sacando en cara lo sucedido, porque cada vez que eso ocurre, siento que se cierra un poco la compuerta que ya abriste y eso le hace daño a la relación".

¿Qué cree usted? ¿Me perdonaría? Bueno, si no está preparado(a) para estas dos acciones, no está preparado(a) para perdonar.

A PROPÓSITO DE OPORTUNIDAD

Además de darle una oportunidad a su pareja, muchas veces la persona engañada debe darse una oportunidad a sí misma para liberarse de dichos y amenazas. Porque seguramente alguna vez le dijo a su pareja, se dijo a sí misma y a quien quisiera escucharla: "Si mi pareja me engaña, ahí mismo se acaba todo". Pero resulta que sucede "el hecho" y, a pesar de sus declaraciones, necesita seguir con su pareja, porque sabe que, a pesar de lo sucedido, es una buena persona y que en el balance de lo bueno y lo malo lo primero gana por lejos. Además, la quiere y no puede vivir sin ella. Pero entra en un conflicto porque siente que si decide seguir con la relación se está traicionando a sí misma y yendo contra sus principios y sus valores. Por esto, le cuesta el doble decidirse a seguir adelante.

Una amiga un día me dijo:

—Carlos y yo hemos hablado mucho sobre este asunto. De hecho, estamos de acuerdo en que si algún día alguno de los dos se siente atraído por otra persona, nos lo vamos a decir.

—¿Ah, sí? ¿Tú confías en eso? —le pregunté.

—Sí, plenamente. Estoy segura de que si Carlos se siente atraído por otra persona, me lo va a decir.

—¿Y qué vas a hacer tú una vez que te lo diga? —inquirí.

—Lo voy a mandar a la punta del cerro, por supuesto. Ahí se acaba todo —me contestó muy segura.

—Bueno, probablemente no te lo va a decir si esas son las consecuencias. ¡Ni sueñes que te lo va a decir! Hasta hoy no he conocido a nadie que esté dispuesto a eso y he conocido a muchos que lo han prometido.

¿Creería usted, amigo lector, que le va decir si sabe que esas son las consecuencias? La gente es muy ilusa. Mi amiga podría haber pensado en darse una oportunidad para aceptar esta situación que, por lo demás, había propuesto también ella. Esto sería fundamental para la confianza.

En una relación de treinta años, por ejemplo, es posible que existan muchos bajones. En esas situaciones, los miembros de la pareja están más vulnerables y es posible que pueda aparecer alguien, que en otras circunstancias hubiera pasado desapercibido, pero que en función del "bajón" de la relación, provoque situaciones emocionales que la pongan definitivamente en peligro. Ante esto, sería ideal que uno pudiera acercarse a su pareja a decirle lo que está pasando, para tomar cartas en el asunto antes de que pase algo de verdad. Porque no se olviden de que la infidelidad es un proceso; nadie es infiel por generación espontánea, siempre es un proceso. Pero, hasta ahora, no he conocido a nadie que se haya atrevido a confesarlo a tiempo. ¿La razón? Miedo a perder a su pareja. Entonces luchan solos contra esa atracción, seguros de que van a poder controlar la situación, y la mayoría termina siendo infiel. Y, ¿de qué es más fácil recuperarse: de contarle a mi pareja que me atrae otra persona y que quisiera hacer algo para recuperar la relación o que mi pareja me descubra acostado con ella?

Para terminar

Sé, porque lo vivo todos los días en nuestro centro, que las parejas que logran trabajar una infidelidad profundamente terminan siendo una mejor pareja que antes. Porque comprenden, entre otras cosas, la naturaleza de las personas y, por lo mismo, que la relación nunca es 100% segura. Entienden que hay que ocuparse de ella, trabajar permanentemente para que funcione y para que se haga realidad el deseo aquel de ser felices "hasta que la muerte nos separe".

Solo porque alguien no te ame
como tú quieres,
no significa que no te ame
con todo su ser.

GABRIEL GARCÍA MÁRQUEZ
Escritor colombiano

¿POR QUÉ SE FUE
CON SU SECRETARIA A MIAMI?

Una vez llegó a nuestra consulta una señora que acababa de descubrir, la noche anterior a nuestra cita, que su marido andaba con su secretaria en Miami. Al principio no lo podía creer, pero las evidencias eran contundentes. Como es posible imaginar, su angustia y su rabia eran extremas. ¿Cómo había sido capaz de aquello?, se preguntaba.

Le dieron ganas de todo: desde tomar un avión e ir a encarar a su marido y a la "cualquiera esa" —porque en ese instante la secretaria del marido pasó de ser "Marcelita" a ustedes ya leyeron qué— hasta quemarle el auto nuevo, pasando por ir a contarle a sus suegros la calaña de hijito que tenían y juntar a los niños para desenmascarar al canalla de su papá. Afortunadamente, especialmente para el marido, llamó a una amiga que también había sufrido algo parecido y que era paciente nuestra, y ella le aconsejó que antes de hacer cualquier payasada nos viniera a ver.

Obviamente, venía destrozada. Según una estadística que leí por ahí, lo que más te puede doler en la vida es perder a un hijo y, en segundo lugar, el sentirse traicionado por la persona que uno más ama. Este es un dolor profundo y muy desestructurador. Conversamos largamente, y luego de contenerla y darle algunas ideas de cómo enfrentar esta situación, nos despedimos, pero cuando iba saliendo de la consulta se dio vuelta y me preguntó:

—¿Por qué lo hizo? ¿Qué pasó por su cabecita que se atrevió a hacer algo así? Ya entendí eso de que la infidelidad es un síntoma de que la relación no está bien y todo eso, pero... ¿cuál fue el proceso mental que hizo que él tomara esa decisión?

—Es que no te va a gustar si te lo digo —respondí.

Ella me miró como diciendo "dímelo igual, porque después de esto que me está pasando estoy preparada para cualquier cosa". Así que le dije:

—Está bien, pero antes de explicarte cuál fue el proceso mental, como dices tú, que hizo que él llevara a su secretaria a Miami en vez de invitarte a ti, quiero decirte que estoy seguro de que no lo hizo para herirte. No pensó: "Voy a irme a Miami con mi secretaria para joderle la vida a mi señora". Estoy seguro de eso; es más, podría apostar que si alguien se hubiese subido al avión y le hubiera mostrado una película del futuro y él hubiese visto que te iba a causar este nivel de sufrimiento y dolor, se baja del avión.

—Pero ¿por qué no lo pensó? —me preguntó con los ojos llenos de lágrimas, sentándose de nuevo en el sofá—. ¿Acaso no sabía que si yo me enteraba iba a sufrir así?

—Sí, sabía y además lo pensó, pero él debió haber estado seguro de que tú no te ibas a enterar. O, quizás, quiso sentirse seguro, porque si no, harían agua sus planes en Miami con la secretaria. Y con respecto a su proceso mental, yo creo que él tomó la decisión de irse con ella en vez de contigo, porque debe haber puesto las dos opciones en la balanza, una a cada lado y pensado: ¿con quién la voy a pasar mejor en Miami, con mi secretaria o con mi señora?... y tú perdiste. Pero si en esa evaluación hubieses ganado tú, te aseguro que hubiese ido contigo. Porque así somos los seres humanos, vamos donde calienta el sol, siempre o casi siempre estamos decidiendo en función de nuestra conveniencia:

donde YO la pase mejor, con la persona que YO me entretenga más, el lugar en donde YO me sienta más a gusto, y así.

—Bueno, pero está el compromiso que hizo conmigo de serme siempre fiel —me dijo casi susurrando, hundiéndose cada vez más en el sofá.

—Sí, es verdad —le contesté—, estaba el compromiso, pero por el otro flanco estaba la naturaleza del ser humano y no considerar esto es de los errores más comunes y mortales que las personas cometen en las relaciones de pareja.

El amor es una amistad
con momentos eróticos.

ANTONIO GALA
Escritor español

¿Puedo llegar a sentir por mi pareja lo que siento por mi amante?

Hace algún tiempo apareció por nuestra consulta un hombre de unos cincuenta y cinco años que se sentó frente a mí y sin ninguna clase de rodeos me dijo:

—Vengo a verlo porque tengo una amante hace ya más de tres años y quisiera hacerle una pregunta, pero antes me gustaría describirle la situación. Estoy casado hace casi veinticinco años y, como le decía, durante los últimos tres he tenido una amante con quien, la verdad, tengo una buena relación. Ella es una mujer separada y tiene hijos mayores, así es que durante la semana nos vemos casi todos los días, pero durante el fin de semana cada cual está con su familia. Solicité una consulta porque quiero terminar con ella y darme una oportunidad con mi señora. Ella no sabe de mi relación, o se hace la que no sabe, ya que nunca me ha dicho algo al respecto. Pienso que en esta etapa de nuestras vidas debiéramos intentar reencontrarnos, porque en estos últimos años nuestras vidas han transcurrido de forma paralela, literalmente, sin tocarse jamás. Ella con sus cursos y sus nietos y yo con mi trabajo y usted ya sabe quién. Me voy a jubilar y nos va a quedar mucho tiempo libre. Quiero comenzar a viajar y a hacer cosas nuevas, y me gustaría hacerlas con mi mujer, pero la pregunta que me hago y que le hago también a usted es la siguiente: ¿es posible que llegue a conectarme de nuevo con ella, que esa relación rica y entretenida que tengo con mi amante logre conseguirla también con mi esposa?

—Sí —le respondí—, pero es un trabajo y no solo depende de usted, también de su mujer. ¿Cree usted que ella va a querer?

—De todas maneras —me dijo entusiasmado al tiempo que se levantaba del sillón con ademán de despedirse—, nos va a ver por acá muy pronto.

Semanas después volvió con su señora y comenzamos a trabajar en intentar recuperar la relación. Ambos, debo decir, estaban con bastante buena disposición a realizar las actividades encomendadas por nosotros. A él, especialmente, lo sentía muy motivado y entusiasmado.

Debemos haber tenido alrededor de cuatro sesiones cuando recibí un llamado suyo y me dijo: "Necesito urgentemente hablar contigo, por favor; recíbeme lo antes posible, pero en solitario, necesito que estemos solo los dos". Esa misma tarde llegó a la consulta y, nuevamente, casi sin ningún preámbulo sentenció:

—Ricardo, esto no va a resultar. Déjame que te explique por qué. El viernes en la tarde fui con mi mujer a la playa a pasar el fin de semana. Llegamos al hotel a cenar, estuvimos conversando largamente, después subimos a la habitación, hicimos el amor y nos quedamos dormidos. A la mañana siguiente pedimos el desayuno en la habitación, luego bajamos al *spa,* en donde nos dimos un masaje de relajación y luego salimos a almorzar a uno de nuestros restaurantes preferidos. Volvimos al hotel a dormir la siesta, despertamos, hicimos el amor y luego nos arreglamos para salir a cenar y a bailar, que eran los planes para esa noche. Llegamos de vuelta al hotel como a las tres de la mañana. Al día siguiente, desayunamos de nuevo en la habitación, estuvimos jugueteando un buen rato y después nos levantamos para hacer el *check out* del hotel. Camino de vuelta a casa pasamos a un restaurante en donde habíamos hecho reservación.

En definitiva, lo pasamos muy bien. Seguramente estarás pensando: "¿qué tuvo de malo todo eso?", y la verdad es que nada. La razón por la que te llamé es otra. Ayer me tuve que reunir con mi ex amante porque debía entregarme unas cosas que quedaron pendientes el día en que terminamos la relación. Nos encontramos en un café diminuto del centro de la ciudad y nos sentamos en una mesa ubicada en un rincón medio escondido de la vista de las personas. Estuvimos media hora conversando y ese pequeño momento fue diez veces más intenso y entretenido que el fin de semana en un hotel cinco estrellas con mi señora. Por eso pienso y siento que esto no va a resultar.

—Está bien, me convenciste —le dije inclinándome hacia él—; sepárate y vete a vivir con ella. Date la oportunidad de rehacer tu vida con esa mujer. Además, no será tan difícil, ambos ya son mayorcitos, ella vive sola, y como, según tú, está enamorada de ti, no veo problema en que te reciba; es más, creo que va a estar feliz de que te vayas a vivir con ella...

—¿Estás seguro de lo que me estás diciendo? —me preguntó con una voz casi inaudible.

—Sí, estoy seguro —le contesté—. Pero te voy a pedir que a los seis meses de estar viviendo con ella, la lleves al mismo café en el que estuvieron ayer, se sienten en la misma mesa, durante la misma media hora y después me vengas a contar si esa reunión fue tan intensa y entretenida como la de ayer. Estimado Felipe —proseguí—, obvio que esa reunión con tu ex iba a ser más intensa y entretenida, ¿sabes por qué?

—Bueno, me imagino que porque me pasan cosas con ella —respondió un poco dubitativo.

—No, Felipe, no es por eso... es porque esa reunión tenía un componente que hizo que sintieras esa emoción y esa adrenalina...

—¿Qué componente? —me interrumpió intrigado.

—¡Era prohibida! El adhesivo más poderoso de una relación de amantes es la complicidad, y esta se logra y se mantiene, en gran medida, a causa de lo prohibido. Muchas veces, cuando se acaba lo prohibido, la relación pierde las tres cuartas partes de lo que la hacía intensa, emocionante y entretenida, y en ese instante te das cuenta de que no era la persona la que te tenía enganchado, sino los sentimientos que se generaban por su condición de amantes.

—Entonces... ¿me estás diciendo que lo que debo hacer para sentir esas mismas cosas con mi mujer es hacer cosas prohibidas con ella?

—Tú lo dijiste, no yo. —Y di por terminada la sesión.

Solo está enamorado
de una mujer
quien se enamora de ella
a cada instante.

JACINTO MIQUELARENA
Periodista y escritor español

Mi día de suerte
en una playa nudista

Como les he contado, durante muchos años tuve que viajar todos los meses a algún destino turístico para hacer un reportaje y, siempre que se podía, invitaba a mi señora con el propósito de hacer un poco más de vida en pareja, lejos de las obligaciones del día a día y de nuestra faceta de padres.

En una de estas ocasiones, el destino fue Jamaica, un lugar no muy visitado por los chilenos hoy en día y mucho menos hace veintidós años. De hecho, nosotros no lo conocíamos. La invitación nos llegó de la cadena de hoteles SuperClubs, y el propósito era pasar una semana recorriendo gran parte de los diferentes *resorts* que ellos tenían en la isla, aunque no sabíamos específicamente cuáles.

El asunto es que partimos a Jamaica el productor, el camarógrafo, Mónica y yo, y como llegamos al hotel muy tarde, cenamos y nos fuimos directo a la cama. A la mañana siguiente, me desperté muy temprano, me duché y salí de la habitación con el propósito de recorrer el establecimiento. Después de caminar entre una exuberante vegetación y unos jardines muy bien cuidados, desemboqué en la playa del hotel. Era pequeña, de no más de ciento cincuenta metros de largo, de arena blanca, agua turquesa, palmeras que tocaban el agua, en fin… "horrible" y, como era temprano, estaba vacía.

Ahí estaba yo, contemplando esa hermosura, cuando escuché risas detrás de mí. Me di vuelta para ver de dónde venían y vi, con asombro, que quien se reía era una mujer de aproximadamente cuarenta años que estaba en la terraza de su habitación del segundo piso, tomando fotografías del paisaje ¡completamente desnuda! Me asusté, porque pensé que por ser tan temprano ella había salido a la terraza a tomar la foto y no se había percatado de que yo estaba allí. Me di media vuelta para irme del lugar, pero cuando iba saliendo, mi vista se cruzó con un cartel que decía que no se podía grabar, ni tomar fotos porque era una ¡playa nudista! Nunca había estado en una playa de esas características, sí en varias en donde se practicaba el *topless*, pero nudista jamás.

No deben olvidar que la historia que estoy relatando sucedió hace más de veinte años y que en ese tiempo la vida no era como ahora; la televisión, el cine, las revistas, la educación, yo mismo... todo era distinto; las cosas no se miraban ni se calibraban como hoy en día. Pero, volviendo a la anécdota, debo confesar que me llamó poderosamente la atención vivir una experiencia como esa y que regresé entusiasmado a la habitación con el propósito de proponerle a Mónica compartir esa aventura conmigo. Cuando llegué, ella ya había salido de la ducha y mientras terminaba de acicalarse para ir a desayunar le dije:

—¿Te cuento...? La playa principal de este hotel es nudista.

—¿Y? —me contestó, sin dejar de peinarse frente al espejo.

—Que tenemos que ir, pues —le contesté.

—¿Cómo que tenemos que ir? —me preguntó bastante seria.

—Sí, yo creo que sería entretenido. Además, el camarógrafo y el productor van a estar fuera del hotel todo el día porque van ir a grabar imágenes de la ciudad, así es que no habrá ningún riesgo de que nos vean. Por otra parte —me apresuré a decirle—, según la guía, somos los únicos latinos del hotel, así es que...

—A ver —me interrumpió—, ¿cuál es la idea? ¿Ir a ver gente en "pelotas"?

—Uf, no... O a lo mejor sí, pero eso no es lo importante. Lo relevante es ser consecuente con lo que yo digo en el programa: que la gracia de viajar es conocer otras costumbres, vivir experiencias nuevas...

—Bueno —me volvió a interrumpir—, ve solo si quieres, no tengo problemas con que lo hagas.

—Pero es que yo quiero que lo hagamos juntos, porque otra de las gracias de viajar, además de vivir otras experiencias, es compartirlas. Cuando seamos viejitos, vamos a vivir de nuestros recuerdos, de las cosas entretenidas que hicimos... No quiero hacerlo solo —argumenté, esperando que cambiara de opinión, pero ella me dijo que no había ninguna posibilidad de que accediera, así que era mejor que no siguiera insistiendo.

Terminamos discutiendo bastante fuerte; tanto que no quiso ir a desayunar con nosotros. Una vez que salimos del comedor, el productor y el camarógrafo partieron rumbo a Ocho Ríos y yo me dirigí a la piscina para pedir una piña colada y tenderme un rato al sol a ver si se me pasaba la frustración. "¿Cuál es el rollo?", pensaba yo; el rollo mental, por supuesto, porque físico, ninguno; éramos jóvenes, delgados, con nuestras "cositas" bien puestas; en fin, estábamos bien físicamente. Pero así y todo el problema de Mónica, como el de la mayoría de las personas, tiene que ver con que te vean las "vergüenzas", como decía una guía colombiana que conocimos en otro viaje. Los individuos, en general, no tienen problema con ver a otras personas desnudas, el tema es que te vean a ti. Estaba en medio de esas cavilaciones cuando la veo aparecer con un pareo naranja y amarillo, lentes de sol y una cara de dos metros.

—Ya, vamos —me dijo una vez que llegó a donde me encontraba.

—Mira, Mónica, no es necesario porque...

—Bueno, entonces voy sola —me dijo interrumpiéndome y se dio media vuelta y empezó a caminar hacia la playa.

Yo tomé rápidamente mis cosas y la seguí. Días después, ella me contó que se sintió obligada a ir, que lo hizo porque pensó que si no, yo le iba a pasar la cuenta. Como estábamos pasando por esta crisis del aburrimiento, el tema era muy sensible, pero la verdad es que a mí ni siquiera se me ocurrió pensar en todo eso, yo simplemente fui tras ella.

Cuando llegamos a la playa, la escena que se presentó ante nuestros ojos fue la siguiente: trescientas o más personas en la arena, todas desnudas, por supuesto, y completamente bronceadas. Eran parejas de cuarenta y cinco años promedio. En esa playa, nosotros éramos los más jóvenes, los más pálidos y los únicos latinos, porque todo el resto era europeo y estadounidense.

Apenas llegamos, Mónica me dijo: "Nos vamos a ubicar allá al fondo". Y así lo hicimos, nos instalamos en unas tumbonas que estaban debajo de la última palmera de la playa. No te permitían estar en la playa ni un minuto vestido y había guardias del hotel que se aseguraban de que se cumplieran las reglas, así que había que quitarse toda la ropa sí o sí. Mónica se recostó sobre la tumbona y se quitó el pareo de no muy buena gana, pero como yo soy un poco más desinhibido, me quité el traje de baño sin mayor preámbulo. Es una experiencia fuerte; como si en el momento en que quedas desnudo, ahí de pie, frente a toda esa gente, el mundo se paralizara a tu alrededor por un instante.

Ahí estás tú, sin nada que te proteja, expuesto ante todos; es sin duda una sensación especial. Pero no pasa nada malo, no se viene abajo el firmamento, ni tiembla la tierra y nadie te mira o todos te miran; no sé, pero da igual. Así debe haber sido al principio de los tiempos, pensé, el hombre desnudo en contacto con la naturaleza también desnuda. Sentir que el sol, el agua, la brisa del mar y tu cuerpo son la misma cosa, parte de un todo armónico y perfecto. Y las otras personas, ahí liberadas y expuestas ante ti sin temores, prejuicios ni complejos... el paraíso.

Luego de un rato de estar allí tuvimos otra discusión, cuando le propuse, con un poco de temor, que nos metiéramos al mar:

—O sea, no es suficiente que haya accedido a venir a la playa y a quitarme la ropa —me contestó secamente—, ¿ahora tengo que pararme y caminar hacia el agua y, después de salir del agua, caminar hacia acá para que tú estés contento? ¿De eso se trata?

—Pero, Mónica, mira a la otra gente, todos sin complejos y relajados. Además, tú eres de las regias de la playa. Fíjate en todas esas señoras, todas con más años y con veinte o treinta kilos más que tú, sin problemas con el físico, y tú, que no tienes ni rastro de "lonja" y pesas con suerte cuarenta y cinco kilos, tienes complejos...

—No son complejos —me interrumpió—, es pudor.

Afortunadamente accedió, nos fuimos a bañar y al final se relajó. Se puso a conversar con unas italianas y fue a curiosear a un puesto de pareos que había en la playa; como que se olvidó que andaba sin ropa. De hecho, nos movimos del fondo de la playa para ubicarnos más al centro, cerca del puesto de las piñas coladas, donde además almorzamos unos camarones rebozados con una salsa un poco picante, pero muy rica. En fin, para mí, estar allí y compartiéndolo con ella, como dije antes, era el paraíso.

Pero lo importante viene ahora. Después de almuerzo nos fuimos a recostar a nuestras tumbonas y cada cinco segundos pasaba una persona, sin ropa por supuesto, frente a nosostros. Por cada una de ellas tenía un pensamiento, independientemente de cómo fuera: flaca, gorda, alta, baja, de piel blanca o negra, joven, vieja, con las pechugas grandes o chicas o el pene grande o chico, no importaba quién fuera ni cómo fuera, yo siempre pensaba algo, porque los pensamientos son incontrolables. Tal como cuando uno está en una playa común y corriente y pasa enfrente de un niño muy rojo por causa del sol y uno piensa: "Vaya que está quemado ese niño; alguien debía preocuparse…". Estaba en ese tipo de cavilaciones cuando pensé: "¿Qué pasaría si en vez de que yo estuviera aquí con Mónica, estuviera con mi mejor amigo? ¿Qué estaría haciendo?". Le estaría comentando, me respondí a mí mismo, algo así como "Por favor, mira las pechugas de esa mujer o fíjate en "la cosa" de ese. ¡Se pasó!". Seguramente nos estaríamos riendo, bromeando entre nosotros y lo estaría pasando superbien. Sin embargo, aquí estoy con mi esposa, los dos en silencio, como si estuviéramos esperando que pasara el autobús. ¿Por qué no comentamos? ¿Por qué no pelamos? ¿Por qué no bromeamos entre nosotros? Entonces, una voz interior me preguntó: "¿En serio quieres saber por qué?". Mentalmente le respondí que sí, que quería saber y me dijo: "Porque no es tu amiga, es tu señora, la mamá de tus hijas, pero no tu amiga. Hace tiempo que ya no. Si ella estuviera aquí con su mejor amiga, también estaría riéndose y comentando y bromeando con ella… pero tú eres su marido, el papá de sus hijas, pero no su amigo, al menos no para esto". Me molestó lo que me dijo mi voz interior, sobre todo porque me di cuenta de que era cierto, hacía mucho tiempo que habíamos dejado de ser amigos. Entonces le pregunté a Mónica:

—¿En qué estás pensando?

—En nada —me respondió en voz muy baja.

—¿Cómo en nada, Mónica? —insistí.

—Pero ¿qué quieres que piense…? —me contestó un poco molesta.

—Mira, Mónica —le dije—, te conozco desde los nueve años y estamos juntos desde los quince y, según yo, tú nunca habías visto tanto hombre sin ropa en tu vida… y aun así me dices que no piensas nada. Ningún comentario, ninguna reflexión, ninguna…

—¡Ah, pero qué lata! —me interrumpió, definitivamente molesta.

—¿Por qué lata, Mónica?

—¡Lata, lata! ¿Qué quieres que te comente?

—Lo que piensas. Mira, yo pienso cosas… pasan mujeres por aquí y pienso cosas. Pasan hombres por aquí al frente y pienso cosas. Comentemos sobre lo que vemos…

—Coméntame tú —me dijo desafiante, pero no supe qué decirle ni cómo decirle.

Había un muro entre los dos. Un muro de falta de confianza, de temor a ser mal interpretado o descalificado. ¿Cómo llegamos a esto?", pensé. "¿Qué nos pasó en el camino que perdimos la amistad, la confianza para ser auténticos el uno con el otro? ¿O tal vez nunca lo fuimos?". Pero recordaba que cuando éramos adolescentes, sí éramos amigos, nos sentíamos con la libertad de ser auténticos y muchas veces fuimos cómplices. Es más, planeábamos juntos nuestras "maldades".

Como soy obsesivo e insistente, después de un largo rato de silencio le propuse algo:

—Quiero que hagamos un juego.

—¿Qué juego vamos a hacer? —me respondió con un tono de "aquí viene otra vez".

—Un juego fácil, no va a ser complicado creo yo. Se trata de lo siguiente: cada vez que pase un hombre frente a nosotros, necesito que le pongas nota, que lo evalúes de 5 a 1 en función de cuánto te atraiga físicamente y, para que tengas una referencia, vamos a hacer de cuenta que yo soy un 3, es decir, seguramente va a haber hombres que te gusten más que yo y otros menos...

—¿Para qué quieres hacer eso? —me preguntó con una expresión de "no puedo creer lo que me estás proponiendo".

—Para comentar, saber de tus gustos… y si a ti no te molesta, cada vez que pase una mujer frente a nosotros, yo también la evaluaré de 5 a 1, y tú también serás un 3. ¿De acuerdo?

Ella levantó la mirada hacia el cielo como suplicando paciencia y me dijo:

—Ok, juguemos.

—Bien —dije yo entusiasmado—. Entonces evalúa a ese —le pedí, señalando a un hombre que estaba como a cinco metros de nosotros, de pie, tomándose una cerveza. Sin ropa, por supuesto.

—¡Qué difícil! —susurró ella, un poco incómoda.

—No es difícil, Mónica. Califícalo nada más.

—¿Cuánto eras tú? —me preguntó sin mirarme.

—3, yo soy tres —le contesté algo impaciente.

—Ok, le pongo un 4 —me dijo algo desafiante, al mismo tiempo que se daba vuelta para mirarme, seguramente para ver cuál iba a ser mi reacción.

—Ah, ¿te gusta más que yo entonces? —le pregunté, mientras ella sonreía—. ¿Y por qué te gusta más que yo? ¿Qué le viste? ¿Qué te llamó la atención? —la bombardeé sin contemplación.

—Ya, pues, la idea era ponerle nota nada más. ¿Para qué quieres saber más? —me dijo un poco divertida.

—Para conocerte, para saber lo que te gusta y lo que no, lo que te llama la atención... Estoy muy ansioso por conocer tus respuestas —le respondí.

Después nos estábamos riendo, bromeando entre nosotros y haciéndonos preguntas cada vez más atrevidas. Como el ambiente era un poco erótico, por decirlo de alguna manera, terminamos hablando de sexualidad.

Ese día 6 de agosto de hace más de veinte años, descubrimos cosas interesantes. Una de ellas, no la más importante, pero sí muy decisiva fue darnos cuenta de que ni siquiera teníamos un vocabulario en común para hablar de ciertos temas. Había cosas que yo sabía perfecto cómo nombrarlas cuando estaba con mis amigos, pero con ella no tenía idea de cómo hacerlo, sin ser cursi u ordinario. ¡No teníamos vocabulario en común y estábamos juntos desde los quince años! ¡Increíble! Descubrimos también, entre otras cosas, la respuesta a una pregunta que me hizo Mónica una vez que yo le planteé que sentía que nos habíamos desconectado. Ella me preguntó en esa ocasión: "¿Qué es la conexión? ¿Cuáles son los elementos que componen la conexión?", pero yo no supe responder.

La etapa de la conquista es, sin duda, la más fascinante de la relación de pareja, porque es cuando uno está muy interesado en descubrir al otro y también en descubrirse ante el otro. Es cuando uno puede pasarse horas sentado escuchando todas las historias que el otro quiera contarte y, sobre todo, contando las propias, porque no hay nada más entretenido que hablar de uno mismo. Es el periodo de la compra y venta. Ahí estás tú, tirando a la parrilla la información tipo "filete" sobre tus gustos, tus principios, tus sueños y aventuras, para de alguna manera interesar e impresionar favorablemente a la otra persona. Por otro lado, estás atento a la información que el otro te está proporcionando sobre los mismos temas, pero relacionados a su persona, para así hacerte una idea sobre si es un "producto" comprable o no.

Hace algunos veranos, nuestra hija menor, actriz, hizo una reunión en nuestra casa de campo con sus compañeros de trabajo. Como vivimos fuera de Santiago, varios se quedaron a dormir. Con uno de ellos, nuestra hija estuvo conversando en la terraza hasta las siete de la mañana. ¡Seis horas conversando! Si llegan a casarse, pensaba yo, les va a faltar tema para quince minutos.

Lo que pasa es que cuando uno pronuncia, formal o informalmente, aquella esperada frase: "Sí, acepto", tú compras, te compran y, en ese instante, se detiene definitiva y automáticamente el descubrimiento, el interés por seguir conociendo al otro y que te sigan conociendo a ti. ¿La razón? Por una parte, yo creo, por el temor a que a mi pareja no le guste descubrir que lo que antes me gustaba, ahora ya no me interesa o que las cosas que antes eran mi prioridad, ahora no lo son o que las cosas que antes no estaba dispuesto a hacer, ahora sí las haría, y así. Por miedo a que piense que alardeé, que no fui honesto, en definitiva, que no me mostré tal cual soy... y que pudiera pensar en dejarme, algo que obviamente no deseo. Y por otra parte, porque tampoco quiero enterarme de cosas de mi pareja que me hagan pensar que "compré" equivocado; eso sería terrible, así es que mejor quedémonos con la información que tenemos y sigamos para adelante. Pero eso es "pan para hoy y hambre para mañana", como decía mi abuela Tina, que se casó tres veces, así es que alguna buena conclusión habrá sacado de su experiencia amorosa.

Hay que tener conciencia que las personas cambian, evolucionan... y, bueno, que algunos también involucionan. Hay personas que se resisten a entender esto, que es una verdad incuestionable. De hecho, en la consulta te plantean: "Es que mi pareja ha cambiado mucho, ya no es la persona con la que me casé". "Y, ¿cuánto hace de eso?", les pregunto. "Veinte años", me responden, como si eso hubiera sido ayer.

Sin ninguna duda, la persona que yo era hace veinte años es muy distinta a la que soy en este momento. Por ejemplo, las cosas que antes me encantaban, ahora ya no me gustan y las que encontraba asquerosas ahora me encantan. Cambié, en función de las dificultades que tuve que sortear, las personas que me tocó conocer, los libros que leí, los lugares que conocí; en fin, para mejor o para peor, ya no soy el mismo. Y si usted se analiza, así, sin pensar, mientras lee estas líneas, descubrirá que, en muchos aspectos, le ocurrió lo mismo que a mí. Pero ¿quién está al tanto hoy de quién es usted realmente? ¿Quién conoce las cosas que le gustan, sus sueños, sus fantasías, sus temores, sus angustias, sus dudas? Me atrevería a apostar que su pareja no; él o ella no tienen idea de quién es usted actualmente. Se quedaron con la información inicial y en función de aquello han creado un mapa sobre su persona, que en algunos aspectos no debe andar ni cerca de lo que realmente es ahora. Su mejor amigo o amiga es quien pudiera acercarse más a ese conocimiento; es él o ella quien conoce sus luces y sus sombras; especialmente las sombras.

¿Por qué la pareja no? Claramente, porque no es tu amiga. Bueno, la idea es que sí lo sea. Que tu pareja, la madre o el padre de tus hijos, también sea tu amiga. ¿Cómo logramos ver aquello que descubrimos ese día en Jamaica por casualidad? Tal como Newton descubrió la ley de gravedad el día en que, según cuenta la leyenda, dormía bajo la sombra de un manzano y le cayó un fruto sobre la cabeza. La clave del éxito en la relación comienza por ser amigos y, de esa forma, lograr la confianza para descubrirse o redescubrirse permanentemente. ¿Difícil? No, no es tan difícil si se dan las condiciones adecuadas y ambos están dispuestos a aportar lo suyo, a ser amigos de verdad. Se puede dar sin ninguna complicación si logran aceptar al otro con todas sus luces y sus sombras.

Ese día, Mónica y yo nos dimos la oportunidad de ser auténticos, de decirnos, sin temor a la descalificación, lo que pensábamos y sentíamos de verdad frente a cada tema o situación que se nos presentó en un área compleja como es la sexualidad. Y nos sentimos libres. Ese día entendimos que uno puede sentirse libre estando en pareja, porque esa libertad es directamente proporcional a qué tan auténtico uno pueda ser dentro de la relación. Y descubrí que la Mónica de ese día era, en muchos aspectos, muy diferente de la de hace diez años; la esencia era la misma, pero la mirada frente a ciertos temas era ahora muy diferente, producto del aprendizaje que te da el paso del tiempo. Ese día descubrí en ella cosas que ni me imaginaba y me gustó, porque sentí que todavía había muchas cosas en ella por descubrir.

En ese momento se me vino a la mente algo un poco cursi, tal vez, pero lo pensé de esta manera: "Si hay más de siete mil millones de personas en el mundo, ¿cómo no conocer a una de esas bien, con todas sus luces, sus sombras, sus laberintos más recónditos…? Y me gustaría que esa persona sea ella, porque es la mujer que quiero y, además, es la madre de mis hijas y con quien he desarrollado un proyecto de vida en común. Por otro lado, si voy a pasar por esta vida, ¿cómo no permitir que al menos una persona conozca todas mis luces, mis sueños, mis sombras…? Y también quiero que esa persona sea ella".

Ser auténtico dentro de la relación y tener conciencia de que ambos podemos no ser los mismos de ayer, te mantiene atento y expectante a los cambios y al descubrimiento permanente, y te lleva a entender también que, por lo mismo, nada es seguro. ¿Alguno de ustedes me podría asegurar que ella me va a amar por siempre, que nunca va dejar de poner sus ojos solo en mí? No, ¿verdad? Entonces es perfecto, porque el erotismo, que es un componente muy importante de la pasión, es inversamente proporcional a la seguridad.

El amor es un eterno insatisfecho.

José Ortega y Gasset
Filósofo y ensayista español

El que no tiene
es porque no sabe pedir

Cuando nuestras hijas abandonaron el nido, comenzó para nosotros una etapa diferente en nuestra vida de pareja. Yo sentía que esta etapa empezaba en condiciones bastante favorables, porque la tarea con los hijos ya estaba cumplida, estábamos sanos, no teníamos grandes preocupaciones ni necesidades y, sobre todo, porque a los cincuenta años todavía nos sentíamos jóvenes y con mucha energía. ¿No dicen que los cincuenta de hoy son los nuevos cuarenta? Teníamos todo para disfrutar sin ataduras de ningún tipo.

Entonces me paré frente a Mónica y le dije lo siguiente: "Ahora que nos quedamos solos, sin 'las niñitas', siento que comienza una nueva etapa en nuestras vidas, es como si empezáramos de nuevo. Por lo tanto, me gustaría estructurar una dinámica de pareja diferente, más libre, más entretenida... entonces me encantaría que te pusieras un poquito más audaz, un poco más atrevida quizás...". Y ella, como respuesta, nos inscribió en un curso de parapente. ¿Quién se equivocó? ¿Yo? Sí, yo me equivoqué. No comuniqué correctamente lo que quería y, además, el mensaje se cruzó con cierta información que ella tenía y que hizo que fuera recibido de manera distorsionada. Ella sabía que a mí me llamaban la atención las actividades con una dosis de adrenalina y que muchas veces me quejé de que nunca podía hacerlas con ella, por su temor a que nos pasara algo y que nuestras hijas quedaran desamparadas. O sea, fue un malentendido. Como lo decíamos en un capítulo anterior, muchas veces uno puede desvivirse por tratar de agradar al otro y no atinarle. Mónica estaba dispuesta a tirarse de un cerro con tal de cumplir mi expectativa, pero no era lo que yo andaba buscando.

Definitivamente, el que no tiene es porque no sabe pedir. Hay que dejar de pedir cosas ambiguas como, por ejemplo, "quisiera que fuéramos más cómplices", porque, ¿qué es ser cómplices?, ¿que robemos un banco juntos? O, "quisiera que fuéramos más amigos". Sí, ¿pero amigos cómo? Porque mi concepto de "amigo" dentro de la relación de pareja puede ser muy distinto al tuyo y yo podría intentar con todas mis ganas ser tu amigo y no lograr ser "el amigo" que tú quieres. Hay que definir bien los conceptos y saber pedir lo que uno quiere.

Por otra parte, hay que dejar de improvisar cuando se trata de agradar al otro. Y esto lo ejemplificaré con la siguiente anécdota. Entre las actividades de nuestro centro, impartimos un taller de sexualidad, taller al que asiste solo la pareja consultante y que, como parte de la dinámica del mismo, algunas veces asisten juntos y otras por separado. En una de las sesiones individuales, llegó una mujer a la consulta, cargada con varias bolsas y un poco agitada porque venía algunos minutos tarde. Apenas se sentó frente a nosotros comenzó a disculparse: "Disculpen, me demoré un poco porque no podía encontrar algo que quiero usar esta noche, en la actividad que tú sugeriste —comentó dirigiéndose a Mónica—. Estuve en tres centros comerciales diferentes, pero al final encontré lo que buscaba. ¿Se los muestro?", nos preguntó mientras abría una bolsa de papel y sacaba varias piezas de lencería color rojo. "Me veo increíble", sentenció mientras sobreponía parte de la prenda sobre su cuerpo, esperando, supongo, nuestra aprobación. "Yo creo que le va a encantar", nos dijo, mientras le brillaban los ojos de entusiasmo.

Mónica me miró como diciéndome: "Díselo tú". Así que, aunque fuera incómodo, tuve que decirle:

—Te tengo que contar algo. El martes pasado, cuando estuvimos reunidos con tu esposo, salió a la mesa el tema de la lencería y entre las cosas que nos comentó fue que él no soportaba los encajes, los encontraba de mal gusto... y esta lencería que tú nos muestras está repleta de encajes. Entonces, ese día te vas a poner esto y cuando salgas de donde salgas y le preguntes: "¿Cómo me veo?", te mirará y te dirá que te ves bien, pero sin mucho entusiasmo, por cierto. Esto te desilusionará y te hará pensar: "Nunca más me compro algo para este tal por cual". Y todo este esfuerzo tuyo, la preocupación, la visita a los tres centros comerciales, las carreras para llegar aquí a la hora y todo lo demás, sentirás que no valió de nada. ¿Conservas todavía la nota? Ve a devolverlo, porque no va a servir.

—Pero, qué lata —rezongó, mientras volvía a meter en la bolsa la lencería—. Entonces, ¿qué es lo que debería haber hecho?

—Haberlo llamado y haberle dicho: "Mi amor, ¿cómo me quieres ver la noche del sábado?" —le contestó Mónica.

—¡Pero es que eso mata la sorpresa! —exclamó con desazón.

—En parte tienes razón —continué diciéndole—, pero imagina que él te hubiera dicho que quería verte con una mini bien corta, una medias caladas y una blusa bien ajustada, y tú lo haces... Así, te vas a la segura, sin ninguna duda a él le va a encantar que su mujer cumpla sus deseos y tú te vas a sentir contenta por haber obtenido el resultado esperado.

—¿Y el factor sorpresa? —nos preguntó expectante y un poco más convencida.

—Bueno, llegas con una blusa bien ajustada como él te lo pidió, pero transparente y además sin sostén. ¡Ahí está la sorpresa!

A lo largo de la juventud pensamos amar,
pero solo cuando hemos envejecido en compañía
de otro conocemos la fuerza del amor.

HENRI BORDEAUX
Escritor y abogado francés

¡El momento de que seamos felices es ahora!

Hace un tiempo, para ser más preciso el año 2006, vi con Mónica, *Elsa y Fred,* una película que nos encantó, porque a nuestro juicio entrega de manera muy simple y entretenida, un montón de mensajes con respecto a las cosas que realmente son importantes de la vida en pareja. No le voy a contar la película porque sería interesante que la viera, más aún si es en compañía de su pareja y mejor todavía si es la versión original española-argentina (después se hizo una versión gringa, que también es buena, pero a mí me gustó más la primera, porque la actuación de la actriz principal es soberbia).

Uno de los temas de la película tiene que ver con aprovechar bien el tiempo. Los personajes de la película son viejos y, por la misma razón, tienen claro que a sus vidas ya no les queda mucho hilo en el carrete y que hay que sacarle el jugo al tiempo que queda pasándolo bien, disfrutando el uno del otro y haciendo cosas concretas para sentir que la vida vale la pena.

¿Cuánto tiempo le queda a usted? Ojalá que mucho, pero quizás menos que a ellos. Lo que pasa es que uno cree que tiene la vida comprada, que va a haber tiempo para todo, entonces uno siempre deja las cosas para después. "Cuando tengamos más dinero", "Cuando los niños estén más grandes", "Cuando nos cambiemos de casa", "Cuando tenga otro trabajo", "Cuando estemos menos cansados", "Cuando los hijos salgan de la universidad", "Cuando nos quedemos solos", etcétera. Siempre para después, cuando podría no haber un después.

Este instante en que sus ojos están recorriendo estas líneas es lo único que de verdad tenemos, nada más. El pasado ya no está y el futuro no existe. Desde hace ya varios años, a raíz de un evento familiar relacionado con la salud que fue muy complicado, me puse obsesivo con esto de aprovechar cada momento. Pero, ¡obsesivo de verdad! A veces voy por el pasillo de nuestra casa, cargado con herramientas rumbo a la bodega, por ejemplo, y si al pasar por la sala de estar diviso a

Mónica leyendo, no puedo pasar de largo. Tengo que dejar las herramientas sobre un taburete, darle un beso y decirle algo. A veces me tienta la idea de seguir mi camino y a la vuelta darle el beso, pero me da miedo perdérmelo. Porque pienso que podría no volver de la bodega o que si vuelvo, ella puede no estar y que si está, ese beso ya será otro, distinto al que no le di. Un poco "TOC", ¿no? Pero me pasa.

¿Cuántas veces han pensado decirles a sus parejas algo y lo dejan para después? Hay que tener conciencia de nuestra fragilidad y aprovechar los momentos, no desperdiciar lo único que tenemos de verdad que es el presente. Muchas veces escucho a parejas contar que luego de tener una discusión, uno de los dos se va a dormir a otra cama o a la sala. Me imagino que piensan: "Total hay muchas noches por delante". Pero ¿de dónde sacaron esa idea? ¿Quién asegura eso? ¡Esa noche es irrecuperable! Además, ¿qué tiene que ver dormir juntos con que tengamos una discusión o no logremos ponernos de acuerdo? Según yo, nada. Son cosas diferentes, si quieren castigar al "otro", no usen nunca ese "recurso". Si llega a pasar algo, querrás dar la vida por esa noche que perdiste junto a tu pareja.

En el amor siempre hay
algo de locura,
mas en la locura siempre
hay algo de razón.

FRIEDRICH NIETZSCHE
Filósofo y poeta alemán

La bañera de hidromasaje

Hace algunos años, apenas nuestras hijas salieron de la universidad, decidimos dejar la ciudad e irnos a vivir al campo. No muy lejos, eso sí, porque debíamos seguir trabajando en la cada vez más nociva selva de cemento. Entonces compramos un terreno y junto a Sebastián, quien hoy es mi yerno y que en ese tiempo estaba en su último año de Arquitectura, diseñé lo que sería nuestro nuevo hogar. Digo "diseñé" porque en ese tiempo Mónica estaba demasiado ocupada en un proyecto personal y me pidió no involucrarse en el proceso de diseño y construcción de la casa. "No tengo cabeza en este momento para las dos cosas", me dijo una vez que compramos el terreno. La situación me pareció fantástica, porque me dio "vía libre" casi absoluta para la toma de decisiones con respecto a este proyecto. De todas formas, conversábamos sobre cada avance, pero "el trabajo sucio", lidiar con los maestros, el regateo en la compra de materiales y la elección de los acabados, entre muchas otras cosas, lo hice yo. La pasé increíble, me encantó participar en cada uno de los detalles de la construcción. Sebastián y yo decidimos asumir el trabajo en su totalidad, así que no contratamos una empresa especializada, sino que contratamos nosotros a los maestros, los supervisamos y todo lo demás.

Un día, cuando estábamos en el proceso de diseño, le pregunté a Mónica: "¿Qué te gustaría que tuviera la casa, además de las cosas tradicionales? ¿Una habitación para tus pinturas, quizás? ¿O algún tipo de clóset especial? Piensa en algo que creas que sea interesante de incorporar". Me pidió un poco de tiempo para pensar y al cabo de unos días me contestó: "Me gustaría que en el baño haya una tina de hidromasaje para dos". Su pedido me sorprendió gratamente, porque me imaginé que iba a ser algo más doméstico y práctico.

El deseo fue cumplido y en nuestra actual casa el baño cuenta con una tina de hidromasaje para dos. El primer año (llevamos casi seis viviendo ahí) ocupamos

la tina cinco veces, pero si no contamos las tres primeras, cuando todavía era "juguete nuevo", solo la ocupamos dos veces. Cuando terminó ese primer año y,
a propósito de un comercial de televisión en el que
se veía una pareja dentro de una bañera parecida a la
nuestra, le pregunté a Mónica, medio sarcásticamente:

—¿No era tan importante la tina de hidromasaje
para dos?

—¡Ay, gordo! —me contestó un poco incómoda.

—¿Qué significa ese "¡ay, gordo!"? —insistí para
obtener una respuesta.

—Tú sabes que no hemos tenido tiempo. Salimos
de la consulta todos los días después de las nueve de la
noche. Los sábados trabajamos hasta las tres de la tarde
y después vamos al supermercado. Los domingos casi
siempre tenemos invitados a almorzar…

—O sea —la interrumpí—, ¿me estás diciendo
que la vida nos avasalló?

—Bueno, sí, pero tienes que considerar que igual
nos hemos dado el tiempo para hacer otras cosas en
pareja —argumentó y debo reconocer que con razón.

—Ok, ¿pero qué hacemos con la famosa bañera
de hidromasaje, me olvido de ella? —insistí—. ¿Te

interesa todavía que nos metamos juntos a la bañera? —le pregunté esperando que me contestara que sí.

—Sí, pero en invierno solamente, porque con calor no es muy agradable —me respondió y me pareció sensato.

—Bien, ¿te parece entonces que durante los meses de invierno nos demos un baño de hidromasaje una vez a la semana? ¿Los miércoles, por ejemplo, para "romper" la rutina?

—Pero ¿a qué hora, si todos los días llegamos muy tarde y...?

—No te preocupes —la interrumpí— voy a pedirle a la secretaria que durante el invierno, los miércoles terminemos la consulta dos horas antes de lo acostumbrado. Porque vamos a enfocarnos en la pareja y no en el trabajo, ¿verdad?

Y así fue. Apenas comenzó el frío, instruí a la secretaria, tal como lo habíamos planificado y *¡voilà!*, ese año nos dimos doce baños seguidos de hidromasaje. Uno por semana. Debo admitir que algunas semanas me sentí poco motivado para realizar la actividad por distintas razones. Pero como había sido yo el de la idea y el que había insistido, tenía que asumir y meterme a la bañera. Reconozco también que una vez dentro, se me olvidaba la desmotivación y "la cosa" no solo se ponía relajante, sino además entretenida.

¿Qué hizo la diferencia? Definitivamente la planificación. Sin planificación las posibilidades de que los planes resulten son muy escasas. Casi siempre la vida termina pasándote por arriba. Actualmente, cuando en nuestro centro realizamos talleres para evitar la rutina en la relación, les digo a los asistentes que voy a comenzar dándoles el antídoto contra la rutina y el aburrimiento. Y entonces, escribo en la pizarra: PLANIFICACIÓN.

Muchos de ellos reaccionan aireadamente y me dicen:

—Pero ¿cómo planificación? Al contrario, el aburrimiento y la rutina deberían combatirse con la innovación, la sorpresa, la creatividad. No con la planificación.

—Sí pues, deberían, pero desgraciadamente no es así. De hecho todo lo anterior: la sorpresa, la innovación y la creatividad siempre están ahí, pero no se utilizan. Tiene que ver con las prioridades. En nuestra cultura, el placer en general lo tenemos como la última de las prioridades significativas. Primero están las obligaciones, los deberes y los compromisos. El placer en general, al final de la fila y el placer en pareja, más al fondo todavía, para cuando se den las condiciones. El problema es que se dan poco o definitivamente no se dan. Entonces planificar el entretenimiento en pareja y ser fiel a esa planificación es vital para tener una buena relación —les explico.

En relación con esta necesidad de planificar para encontrarse con el otro, recuerdo una situación bastante especial que vivimos con una pareja que hizo el trabajo con nosotros. Una noche Mónica y yo fuimos a cenar. Estábamos en una avenida decidiendo qué restaurante escoger, cuando nos topamos con unos pacientes nuestros. Ellos son una pareja que lleva aproximadamente veinticinco años de matrimonio. Él, médico y ella, dentista. Nos saludamos con mucho entusiasmo y les pregunté si venían a cenar, porque si así era podíamos hacerlo juntos. Ellos se miraron, buscando aprobación mutua, y aceptaron. Pero cuando estábamos sentados en el restaurante viendo la carta, me fijé que ella miró a su marido y le dijo en voz baja: "Entonces lo nuestro lo dejamos para otro día, ¿sí?". Yo me sentí supermal, porque mi entusiasmada invitación al parecer se había interpuesto en una actividad ya planificada por ellos. Como todavía estábamos a tiempo para remediar la situación, les pedí que interrumpieran la lectura de la carta y que me pusieran atención:

—A ver, chicos, escuché que comentaron que tenían un plan para esta noche… Y no vamos a ser nosotros, sus terapeutas, quienes coarten una actividad de pareja, así es que mejor los dejamos solitos para que ustedes continúen con su plan para esta noche. Dejemos la cena juntos para otra ocasión. No se compliquen por nosotros…

—No te sientas mal, Ricardo —me interrumpió él—, nosotros felices de compartir la cena con ustedes. Para que te quedes tranquilo, te voy a explicar. Lo que sucede es que nosotros hemos llevado este concepto de la planificación un poco más allá de lo que ustedes nos enseñaron. Desde hace varios años tenemos por costumbre ir a cenar al menos dos veces por semana, pero hasta hace poco, el que siempre elegía el restaurante era yo. Algo que al principio no me importó, pero que después me empezó a complicar, así que le propuse a Verónica que lo hiciéramos de manera diferente. Hoy nos alternamos, una vez elijo yo y la siguiente ella. Y no solo eso, el que elige el lugar además debe proponer el tema de conversación. Esto se me ocurrió porque muchas veces íbamos a cenar y nos faltaba tema, terminábamos hablando de los hijos, del trabajo, en fin, de lo de siempre.

—¿Y ha funcionado? —pregunté intrigado.

—Mira, la primera vez le tocó a ella elegir el lugar y poner el tema, entonces me llevó a un lugar en donde se sirve comida vietnamita. Llegamos, ordenamos lo más típico del país y cuando le pregunté cuál iba a ser el tema de la noche, ella muy seria comenzó a preguntarme: "¿Sabías que en Vietnam las mujeres desde los quince años…". ¡Me hizo una exposición de la cultura vietnamita! ¿Lo puedes creer? Poco le faltó para sacar un Power Point. La conversación fue muy entretenida, el tiempo se nos pasó volando y nos tuvieron que correr del restaurante.

—Y hoy, ¿a quién le tocaba elegir el lugar y el tema? —inquirió Mónica.

—A mí —respondió Verónica, divertida.

—¿Y cuál era el tema? Si se puede saber —pregunté yo.

—El uso de los juguetes sexuales —contestó ella, desatando la risa de todos.

Sin duda, las parejas también nos han enseñado mucho.

Lo verdadero es siempre sencillo,
pero solemos llegar a ello
por el camino más complicado.

AMANTINE LUCILE DUPIN (GEORGE SAND)
Escritora francesa

Pensar como Einstein

Esta es la historia de una pareja de aproximadamente cuarenta y cinco años de matrimonio, ambos jubilados y solos, a esa altura de la vida, pues sus dos hijos ya habían formado su familia. Vivían en un barrio tradicional de la ciudad de Santiago, en una casa de los años sesenta, que tenía un terreno grande por el cual varias constructoras les habían ofrecido bastante dinero para construir un edificio. Él nunca quiso vender, pero sus vecinos sí, por lo que su casa quedó transformada en una isla luego de que le construyeran varios edificios alrededor. Durante el verano, desde hacía ya muchos años, acostumbraban almorzar en una terraza que daba hacia el patio trasero de la casa.

—Luis, a almorzar —lo llamaba Eliana cuando tenía puesta la mesa y él aparecía, como siempre, vestido con sandalias, *short* y una camiseta sin mangas.

—Me gustaría que te pusieras una camisa para almorzar —le pidió ella un día.

—¿Por qué? —le respondió él un poco contrariado.

—Es que no me gusta verte así. Yo me preocupo de que la mesa esté bien servida; del mantel, las servilletas, las copas de vino... y que te sientes a almorzar así, con los pelos de las axilas al aire, de verdad me incomoda. ¿Será posible que te pongas una camisa?

—A ver —le dijo bastante molesto—, durante cincuenta años tuve que andar vestido de la manera que a mis jefes les parecía, daba lo mismo si hacía calor o frío, si yo estaba a gusto o no. ¿No te parece que a mi edad me he ganado el derecho de andar en mi casa como me sienta cómodo?

Sucedió algo similar en otra ocasión cuando ella lo llamó a almorzar y él apareció vestido como siempre.

—Amor, ponte una camisa para almorzar, no ves que de los edificios de alrededor nos mirarán y quizás hablarán de estos viejos....

—¿Cómo? ¿O sea que ahora tengo que andar vestido en mi casa en función de lo que opinen las personas que nos ven desde los edificios? Me da lo mismo lo que piensen ellos, en mi casa tengo el derecho de andar como se me ocurra.

En otra ocasión, en que los había ido a visitar el mejor amigo de su esposo, Luis volvió a aparecer vestido como siempre para el almuerzo.

—Le podrías decir a tu amigo que se ponga una camisa, por respeto a ti que eres nuestro invitado —le dijo ella a quien los acompañaba—, porque sería bueno que...

—Veamos —la interrumpió Luis y dirigiéndose a su amigo, le preguntó—. Compadre, ¿a usted le molesta que yo ande así o somos de confianza?

El amigo solo se encogió de hombros mirándola a ella y negó imperceptiblemente con la cabeza.

—¿Ves, Eliana? Ni a mi compadre le molesta, ¿cuál es la idea de andar molestando todo el tiempo?

Bueno, y así sucedió durante muchos veranos. Hasta que un día, ella lo llamó a almorzar como siempre y también, como siempre, apareció Luis vestido de la forma en que ya sabemos. Se sentó en la cabecera de la mesa y se estaba poniendo la servilleta sobre los muslos cuando ella le pidió que esperara un poco antes de comenzar. "Voy y vuelvo", le dijo, y se paró de la mesa raudamente para entrar a la casa. Al poco rato volvió solo con calzones, con el torso completamente desnudo y se sentó en la otra cabecera de la mesa, como era su costumbre. Él la miró sorprendido, miró también de reojo los edificios de alrededor, se paró y volvió con una camisa.

Eliana nunca más tuvo que pedirle a Luis que se pusiera una camisa para almorzar en la terraza durante los veranos. Durante años trató de que su esposo hiciera algo que ella de verdad deseaba, pero para lograrlo utilizó un solo recurso: se lo pidió. A veces de buena manera, otras no tanto; con argumentos; apelando a la buena disposición de él; a través de sus amigos, y así. Pero siempre utilizó la misma estrategia, hasta que tuvo que cambiar algo para que el resultado fuera distinto.

Algo parecido a lo que le sucedía a la señora Eliana, me pasaba a mí en nuestro matrimonio con Mónica, veía que intentábamos una y otra vez volver a conectarnos como en los inicios, pero que el resultado siempre era el mismo. Sentía que la relación ya no vibraba como antes, que nos habíamos desconectado como pareja y que no teníamos las herramientas para arreglarlo. Pensando en cómo hacerlo me encontré con esta frase de Albert Einstein que me hizo absoluto sentido: "No hay nada que sea un signo más claro de demencia que hacer algo una y otra vez y esperar que los resultados sean diferentes". Hasta ese momento habíamos intentado hacer cosas distintas, pero siempre dentro del mismo marco o en la misma dirección. Pero, ¿se podría hacer algo más? Entonces pensé que quizás Einstein tuviera otras ideas que pudieran darme luces sobre cómo proceder. Y de hecho las tenía. A continuación transcribo las que fueron el impulso inicial para sumergirme obsesivamente en un intento por encontrar la solución a nuestro problema:

❥ "El sentido común es el conjunto de prejuicios adquiridos a los dieciocho años".

❥ "La imaginación es más importante que el conocimiento".

❥ "La única fuente del conocimiento es la experiencia".

❥ "No es que yo sea más listo, es solo que yo insisto más tiempo en los problemas".

❥ "Cuando la solución es sencilla, Dios nos ha contestado".

Estudiando a Einstein corroboré, además, que él tuvo éxito justamente porque tenía una forma diferente de pensar. Para llevar a cabo sus descubrimientos tuvo que saltarse muchas reglas y convenciones. Como nos entrenan, por medio de la educación y de las normas sociales, para obedecerlas y venerarlas, generalmente nos movemos dentro de un marco que no nos permite ver que afuera y al alcance de la mano, está la solución a muchos de nuestros problemas. Nuestras creencias y costumbres son las que nos separan de las soluciones.

A raíz de esto entendí que había que romper las reglas, saltarse las creencias, ver más allá del marco impuesto por la sociedad. Había que innovar, encontrar una nueva forma de ser pareja que nos permitiera vivir juntos hasta el final de los tiempos, entusiasmados y felices, a pesar de los problemas.

*Quien quiera que intente
actuar como juez en el campo
del conocimiento y la verdad,
será hundido por la risa de los dioses.*

ALBERT EINSTEIN
Físico alemán

El patriarcado
contra la empresa

Durante muchos siglos, las relaciones de pareja funcionaron bajo un orden patriarcal. El hombre era el jefe de la familia y el proveedor y la mujer estaba encargada de cuidar a los hijos y de "llevar bien" el hogar. Además, obedecía, no cuestionaba, no contradecía, no daba instrucciones y, menos, controlaba. Esa era la estructura a la que la mayoría de los hombres y mujeres debían ceñirse, porque se les había educado para funcionar dentro de un marco que tenía funciones y límites bien definidos. Este orden funcionó durante muchos años, hasta que las mujeres —a quienes les parecía que era injusto—, comenzaron a conectarse entre ellas subterráneamente y echaron abajo esa estructura. ¡Porque fueron ellas las que la echaron abajo! A los hombres nos acomodaba esa forma de ser pareja, pero a ellas no les gustaba y me parece que con justa razón. Entonces, poco a poco se fue instaurando una nueva forma de ser pareja, que es la que tenemos actualmente. Pero ¿cuál es la estructura actual? Está, pues, la que tiene usted y tenía yo y que según nosotros es muy difusa o claramente no existe.

Creemos que ese es "el gran problema" de las relaciones de pareja actuales: la falta de estructura. Nos subimos a este barco de la relación de pareja, que es el barco que nos transportará en el viaje más importante de nuestras vidas, con el propósito de sacarlo adelante, pero sin un destino definido y solo improvisando.

Es fundamental que haya una estructura en la que esté definido cuál es el objetivo y qué hacer para lograrlo. Que establezca cuáles son las funciones, los límites y las actitudes básicas que hay que tener frente a la relación. Saber cómo evaluar permanentemente cada aspecto de la relación, de tal manera que se anticipen las situaciones problemáticas que puedan surgir y así tener claro cuáles son las acciones a seguir cuando aparezca una crisis. Es decir, contar con un manual de procedimiento.

Lo que funcionó para nosotros fue entender que en nuestra relación de pareja existen tres componentes:

ella, yo y la relación. Algo similar a la situación que se genera en nuestro centro. "Vivir en Pareja", la empresa, la formamos ambos. Pero la empresa no es Mónica, tampoco yo, ni siquiera la suma de los dos. La empresa, actualmente, es mucho más. Es a la empresa y no a Mónica a la que le exijo me dé los beneficios psicológicos y monetarios que requiero.

Entonces, en la relación, ¿quién me tiene que tener contento?, ¿quién me tiene que hacer feliz? ¿Mónica? ¡Bajo ningún punto de vista! Quien me tiene que tener contento y satisfecho es la relación, "la empresa" que hemos formado juntos. Mónica y yo, somos los dueños del centro, pero no por eso podemos hacer dentro de él lo que se nos ocurra. Tenemos funciones, deberes y limitantes bien determinadas. Aunque, por ejemplo, podría asistir al centro en los meses calurosos, en *short*, playera y sandalias, porque me serviría a mí para estar más cómodo, al centro no le serviría. Daría una mala imagen y por lo tanto sería mejor que fuera con ropa más formal. Porque cuando uno tiene una empresa, uno hace, dice, procede y decide de la forma que le conviene y le sirve a la organización que te da de comer, no como te conviene o te sirve a ti.

En la relación de pareja, la actitud y disposición frente a "la empresa" debiera ser la misma. Entonces, como en toda empresa, primero hay que definir el objetivo:

¿Cuál es el objetivo de la empresa? Estar contentos, ser felices, pasarla bien, a pesar de los problemas. Pero eso no se lo podemos exigir a nuestra pareja, hay que exigírselo a "la empresa". La relación es la que tiene que hacernos sentir bien y en armonía, mientras construimos una familia y un proyecto de vida juntos.

Además, existen algunas actitudes básicas que debemos intentar mantener durante toda la duración de esta "empresa":

❥ **Primero**: entender que somos un equipo, que somos socios en este proyecto de largo plazo y que, por lo mismo, tenemos que ser complementarios y colaborativos entre nosotros, jamás competitivos. Nunca hay que competir por quién tiene una mejor idea, quién se acuerda mejor cómo fueron las cosas, a quién le dolió más, quién sufrió más, quién hizo más por la relación y, por sobre todo, nunca competir por quién tiene la razón. Porque tener la razón no resuelve los problemas. Cuando se presenta una situación por resolver, debemos enfrentarla como equipo, entendiendo que ninguna relación es permanentemente satisfactoria.

❥ Segundo: jamás pensar mal del otro. El otro nunca hará algo a propósito para herirte o dañarte. Si sientes que lo está haciendo es porque seguramente le pasa algo. Esta actitud es una herramienta muy poderosa. Les daré un ejemplo:

Hace ya veinticinco años (llevamos juntos treinta y tres), a raíz de una situación acontecida en nuestra relación, decidí comenzar a observar las cosas que Mónica hacía o decía a través de un "filtro". Como si me hubiese puesto unos anteojos y a través de ellos hubiera comenzado a observar toda la relación (de hecho, no me los saqué nunca más). Ese filtro es la certeza absoluta de que ella nunca va a hacer algo a propósito para herirme. En las ocasiones en que he sentido que lo hace, el filtro me obliga a pensar: "Estoy entendiendo mal o a ella le pasa algo, pero a propósito no puede ser". Diferente sería mi postura frente a la relación, si el filtro que yo usara fuera la certeza de que ella hace cosas a propósito para herirme. Muchas personas adoptan esta postura porque sienten que su pareja es su enemigo. Y ese filtro tiñe toda la relación.

▶ **Tercero**: el compromiso con la relación debe ser claro y comprobable. Uno tiene que invertir en esta "empresa" tiempo, recursos, entusiasmo y dedicación. Hágale saber a su pareja, a su socio, que usted siempre va a estar ahí para ella. Y no lleve la cuenta de lo que su pareja hace por la relación. No hay que esperar que el otro trabaje por la relación para comenzar a hacerlo usted. Cada uno tiene que hacer su parte. La relación de pareja se mueve en función del principio de acción y reacción, entonces, cuando uno de los miembros de la pareja actúa el otro, tarde o temprano, también se decidirá a actuar. Muchas veces hemos visto cómo una sola persona puede cambiar la relación al cambiar su propia forma de actuar.

▶ **Cuarto**: entender que la primera prioridad la tiene la relación. Cuando les pregunto a las personas que nos consultan: "¿Qué es más importante, los hijos o la pareja?", muchas veces responden que son los hijos o, en el mejor de los casos, ambos. Pero es una pregunta capciosa, porque sé, de antemano, que las personas entenderán que la pregunta está referida a los niños y a la pareja. Pero no, la pregunta de fondo es si es más importante la relación o los niños. Y claramente la relación es más trascendente. De hecho, si le preguntáramos a los niños qué es lo que más quieren en la vida, ellos sin pensar un segundo, te contestarían: "Que mis padres vivan juntos y felices".

❧ **Quinto**: como decíamos en un capítulo anterior, estar al tanto de las expectativas del otro y comunicar eficientemente las propias, contribuye mucho a tener una buena relación de pareja.

❧ **Sexto**: estructurar los roles para que nadie sienta que trabaja más que el otro dentro de la relación, de tal manera que no se produzcan quejas. El sentimiento de injusticia dentro de la relación es fuente de muchos conflictos. En la medida que sea eficiente la operación de los aspectos domésticos de la relación, quedará más tiempo para pasarla bien junto a la pareja.

❧ **Séptimo**: estructurar reuniones de coordinación y espacios para la solución de problemas, entendiendo siempre que son solo SPR, "situaciones por resolver", y que todas ellas traen la solución incorporada. La SPR que se presente ante ustedes será el enemigo, no su pareja, y ambos tendrán que trabajar como equipo para derrotar a ese enemigo.

❧ **Octavo**: no ceder ni imponer jamás. Si usted cree que la solución es por la derecha y su pareja cree que la solución es por la izquierda, no ceda, ni imponga. Usted seguramente se estará preguntando: "Pero ¿cómo? Alguien tiene que ceder, ¿o no? A veces yo, otras veces mi pareja…". Pero, no. Eso es lo que le enseñaron, pero no funciona. Porque cuando yo cedo, mi pareja queda contenta, pero yo clavo una espina en mi corazón y muchas espinas clavadas en el corazón terminan destruyendo la relación. ¿Qué hay que hacer entonces? Acordar, pero en función de lo que le sirve y le conviene a la relación y no a uno de los dos. Pensar algo como lo siguiente: "Puede que terminemos haciendo algo que no te gusta ni a ti ni a mí, pero si eso le sirve a la relación, en función de los objetivos que ambos hemos acordado, entonces eso es lo que hay que hacer".

◆ **Noveno**: si para mi pareja es importante, para mí es importante. Por esto, frases como: "¿Cómo te puedes afligir por eso?", no pueden tener cabida dentro de la relación. Existirán situaciones dentro de la relación que para tu pareja serán importantes y para ti un problema o sencillamente un desagrado, y viceversa. Sin embargo, si para tu pareja es importante, entonces es el momento de hacer "un regalo de amor", como dice Mónica.

❥ **Décimo**: según mi experiencia, los nueve puntos anteriores son las posturas y/o disposiciones básicas que uno debe adoptar cuando decide embarcarse en una relación a largo plazo. Todas tienen que ver con aspectos operacionales o de funcionamiento de la relación, la idea es hacer muy eficiente "la operación" para que se genere un ambiente de "que lo estamos haciendo bien". Si están bien repartidos los roles, estamos estructurando bien la relación en todos sus aspectos y, además, no estamos permitiendo que los problemas se acumulen, generaremos "buena onda" entre nosotros, lo que de todas maneras nos ayudará a poner el foco en un aspecto central: sentir que estamos conectados como pareja, no como equipo o como socios de una empresa.

Volvemos entonces a "la naturaleza del ser humano". ¿Qué quieren las personas? Que alguien o algo los saque de sus propias vidas, de su aburrimiento, de su sensación de vacío y lograr así tener una vida más rica y excitante que estar dedicados solo al trabajo y la familia.

A Mónica y a mí nos funcionó "el juego".

Remontándonos al origen de nuestra relación, ahí estaba el juego de la conquista. Luego, siendo novios, estaba el juego de si éramos o no "la persona" para formar la pareja definitiva, y una vez tomada esa decisión, nos casamos… y se acabó el juego.

En ese momento había que comenzar a gestionar la relación en función de lo "importante": la casa, el dinero, los hijos, la familia, etcétera. Entonces nos transformamos muchas veces en excelentes compañeros de equipo frente a los compromisos, deberes y obligaciones, pero en esa vorágine perdimos la conexión en ese otro nivel que fue la base de todo lo demás.

Hay que dejar espacio para el juego en pareja, entendido como una actividad diseñada solo con el propósito de pasarla bien. El juego no es la vida, es una abstracción de la realidad, por eso en el juego las personas se olvidan de sí mismas, suelen ser más audaces que en la vida real, se atreven y arriesgan más. El juego ayuda a mantener el equilibrio emocional.

La sexualidad en pareja, por otra parte, es un camino siempre interesante, no el único, por cierto, pero fundamental. Uno a la pareja le exige seguridad, predictibilidad, confianza y transparencia, pero por otro lado le pide también misterio, aventura, adrenalina… y la sexualidad es capaz de darnos todo eso y más.

Finalmente, el amor de pareja, más que un estado emocional, es un trabajo disciplinado y permanente dirigido a proteger, enriquecer, cuidar y mantener lo que amamos.

A nosotros nos resultó, espero sinceramente que a usted también.

Santiago, mayo de 2016